Klaus Krämer
Engel – Grenzgänger zwischen den Welten

W0247510

Klaus Krämer

Engel –
Grenzgänger
zwischen den Welten

Erlebnisberichte

Die Deutsche Bibliothek – CIP-Einheitsaufnahme

Krämer, Klaus:
Engel – Grenzgänger zwischen den Welten : Erlebnisberichte /
Klaus Krämer. – Moers : Brendow, 1996
(Edition C : M ; 219)
ISBN 3-87067-662-0 (Brendow)
ISBN 3-89562-206-0 (ERF-Verl.)
NE: Edition C / M

ISBN 3-87067-662-0 (Brendow)
ISBN 3-89562-206-0 (ERF-Verlag)
Edition C, M 219
© 1996 by Brendow Verlag, D-47443 Moers
Einbandgestaltung: Kortüm + Georg, Münster
Printed in Germany

Inhalt

Ein Vorwort – oder:
Meine Urgroßmutter und zwei Extreme

Meine Urgroßmutter Julie war für mich stets die Originalausgabe einer Uroma, lieb, freundlich, einfühlsam, unkonventionell, fleißig, gastfreundlich, freigebig, humorvoll. All dies entsprang einer tiefen Frömmigkeit.

Ich sehe sie in Gedanken noch heute in einem ihrer fast bodenlangen Kleider aus schwarzem, dezent geblümten Stoff und der blauen Leinenschürze. Wenn sie mit altersbedingt langsamen Schritten über unseren Bauernhof ging, hatte sie keine Chance gegen die beiden Katzen. Sobald die meine Urgroßmutter erspähten, kamen sie, um schnurrend längs ihres Rocksaumes zu streichen.

Fast schien es so, als seien es die Lasten eines langen Lebens, die ihre nach vorn gebeugte Körperhaltung erzwungen hatten. Doch auch ein entbehrungsreiches, hartes Leben, die Erfahrung zweier Weltkriege und so mancher Schicksalsschlag konnten sie nicht zerbrechen. Auch das führe ich auf ihren Glauben zurück. Immerhin hatte Oma Julchen, wie wir sie nannten, in ihrem mehr als fünfundachtzigjährigen Leben Dinge erlebt, in denen sie ein direktes Eingreifen Gottes sah und die sie in ihrem Glauben bestätigten.

Eines dieser Erlebnisse ereignete sich etwa um 1930. Ihr Mann, mein Urgroßvater Hermann, war im Wald, um Lohe zu schälen. Die Eichenrinde wurde an Gerbereien verkauft – ein kleiner, aber willkommener Nebenverdienst zur nicht sonderlich einträglichen Landwirtschaft. Als es plötzlich wie aus Kübeln regnete und ein schweres Gewitter aufzog, verkroch er sich unter einen dichten Strauch, um das Unwetter abzuwarten und anschließend weiterzuarbeiten. Er hatte sich noch nicht lange dorthin gekauert, als er pötzlich rasende Zahnschmerzen bekam. An ein Weiterarbeiten war nicht zu denken, darum ging er heim.

Völlig durchnäßt dort angekommen, ließen die Schmerzen allmählich nach. Doch noch einmal in den Wald zu gehen lohnte nicht, es begann bereits zu dämmern.

Er beschloß also, am nächsten Tag seine Arbeit fortzusetzen. Von Zahnschmerzen keine Spur mehr, machte er sich also tags darauf auf den Weg. Als er die Stelle erreichte, an der er vor dem Gewitter Schutz gesucht hatte, fuhr ihm der Schreck in die Glieder. Der Strauch existierte nicht mehr. Ein Blitz hatte ihn getroffen und zerschmettert. Was mit meinem Urgroßvater geschehen wäre, hätte er keine Zahnschmerzen bekommen, läßt sich denken. Oma Julchen gebrauchte in diesem Zusammenhang nie das Wort Zufall, sondern sprach von Bewahrung.

Keine Bewahrung, nach menschlichem Ermessen, war das, was sich im Jahr 1942 ereignete. Ihr einziger Sohn (sie hatte noch zwei Töchter), wurde im Krieg von einer Granate getötet. Er, der für vieles begabt war und den elterlichen Hof übernehmen sollte, kam nicht mehr nach Hause. Die Eltern haben das bis zu ihrem Tod nicht verwunden. Dennoch hatte meine Urgroßmutter keine Vorwürfe oder Anklagen gegen Gott, obwohl der es hätte nach ihrer Meinung verhindern können.

In diesem Spannungsfeld zwischen Wundern und Wunden bewegte sich das Leben dieser Christin. Beides hat sie das werden lassen, was sie war, ein Mensch, dem andere abspürten: Ihr Glaube ist echt.

Weshalb schreibe ich Ihnen diese Geschichte? Einerseits hat sie mich schon als Junge sensibel gemacht für das, was William Shakespeare in seinem Hamlet so umreißt: »Es gibt mehr Dinge zwischen Himmel und Erde, als eure Schulweisheit sich träumt.«

Andererseits bin ich mir bewußt, daß sich beim Lesen dieses Buchs mancher im persönlichen Rückblick die Frage stellen wird: Warum waren die Lebensumstände in dieser oder jener Situation nicht so, daß am Schluß ein Wunder, ein Happy-End stand? Eine Frage übrigens, die ich mir auch schon oft genug gestellt habe, meistens ohne eine Antwort darauf bekommen zu haben.

Von dem Spannungsfeld zwischen offensichtlichen Wundern und seelischen oder körperlichen Verwundungen wird in diesem Buch allerdings kaum die Rede sein, sondern fast nur von Happy-Ends, von einem guten Ausgang. Dennoch möchte ich es auch denen empfehlen, die in extremen Lebenslagen vergeblich ein Wunder Gottes erflehten. Wer weiß, welchen Sinn letztlich das hat, was die Fundamente der menschlichen Existenz erschüttert, wie etwa Krankheit, Unglück oder Tod. Diesbezüglich bleiben die Fragen der Menschen von den Antworten Gottes getrennt durch die Grenze des Diesseits zum Jenseits. Eine Grenze, die in anderer Hinsicht ständig überschritten wird von den Grenzgängern zwischen den Welten: den Engeln.

Weshalb ausgerechnet Engel?

Diese Frage wird mir von Zeit zu Zeit von Menschen gestellt, die mich eher als bodenständigen Zeitgenossen kennengelernt haben und nicht nachvollziehen können, daß ich mich thematisch in solch spekulative Sphären wie die »unsichtbare Welt« vorwage.

Meine Antwort ist einfach: Ich bin überzeugt davon, daß Shakespeare recht hat. Es gibt tatsächlich mehr Dinge zwischen Himmel und Erde, als der Verstand der Menschen erfassen kann, und das Wirken der Engel gehört unbedingt dazu. Nicht aus bewußtem eigenem Erleben sage ich das, sondern weil in der Bibel ausdrücklich die Rede von den Engeln als real existierenden Geschöpfen ist und weil ich zahlreiche Berichte von Menschen kenne, die Erfahrungen mit Engeln gemacht haben.

Ein zweiter Grund: Seit 1989 habe ich mich in etlichen Hörfunksendungen des Evangeliums-Rundfunks mit Engeln, deren Aufgaben und deren tatkräftigem Eingreifen beschäftigt. Auf diese Beiträge und aufgrund eigener Recherchen bekam ich im Laufe der Jahre zahlreiche Erlebnisberichte, die es wert sind, schwarz auf weiß dokumentiert zu werden.

In Gesprächen oder bei Vorträgen in diversen Gemeindeveranstaltungen sind mir allerdings immer wieder Christen begegnet, die vielem, was mit dem Thema »Engel« zu tun hat, skeptisch gegenüberstehen, die bezweifeln, daß Engel auch heutzutage in Aktion sind und das Leben einzelner Menschen oder sogar den Lauf der Weltgeschichte beeinflussen. Ich betone noch einmal: Diese Kritiker sind Christen, vor deren gelebtem Glauben ich hohen Respekt habe. Dennoch scheinen sie in diesem Punkt die Tiefe der Heiligen Schrift nicht genügend ausgelotet zu haben. Hier ist möglicherweise Aufklärungsbedarf.

Das Thema »Engel« drängt sich mir aus einem weiteren Grund auf. Seit den siebziger Jahren und verstärkt in den achtziger Jahren bis heute wird das »christliche Abendland« von einer okkulten Welle erfaßt. In der Literatur, im Kino, in Fernsehfilmen ist seitdem buchstäblich der Teufel los. Gewisse Rockgruppen verbreiten in ihren Liedtexten nahezu ungehindert satanische Botschaften, bis hin zur Aufforderung an die Fans, Selbstmord zu begehen. Kommerzielle Musiksender im Fernsehen senden unkritisch auch Videoclips mit dämonischen Inhalten. Dies alles wird in seiner Gefährlichkeit kaum noch wahrgenommen. Die verharmlosende Darstellung des Bösen ist zum selbstverständlichen Bestandteil unserer Gesellschaft geworden.

Schwarze Magie, Geister und Dämonen, also all das, was in der Bibel mit »Mächte der Finsternis« definiert wird, bekommen immer wieder ein Forum. In deutschen Jugendzeitschriften wird Gläserrücken und Pendeln als »Partyspaß« verharmlost, und bereits in Kinderspielen sind Anleitungen für okkulte Praktiken zu finden. Sogar ein renommierter deutscher Buchclub erweiterte vor einigen Jahren sein Angebot um ein sogenanntes »Pendelset«. Die Folgen sind, daß Menschen jeden Alters neugierig werden und sich darauf einlassen, ohne darüber nachzudenken.

Pendeln und Tischerücken gehören für viele Schüler zum Alltag. Das belegt eine Studie unter knapp 700 Jugendlichen aus Frankfurt am Main vom August 1995. Gläserrücken, Pendeln und »schwarze Messen« sind demnach umgerechnet 88 Prozent der deutschen Jugendlichen zwischen 14 und 16 Jahren bekannt. 44 Prozent von ihnen haben nach eigenen Angaben mindestens einen der okkulten Versuche selbst unternommen. Mehr als drei Viertel (78 Prozent) allerdings nur einmal. An der Spitze rangierte Gläserrücken (34 Prozent) vor Pendeln (20 Prozent). An »schwarzen Messen« beteiligten sich drei Prozent.

Erwähnenswert ist außerdem, daß evangelische Jugendliche der Studie zufolge weitaus anfälliger für solche Praktiken waren als katholische oder muslimische Altersgenossen (epd 521/23. August 1995).

Durch diese Entwicklung sind viele Christen verunsichert und verängstigt. Wie das Kaninchen vor der Schlange stehen manche diesem Phänomen wie versteinert gegenüber. Ich möchte deshalb

11

versuchen, den Blick zu weiten für die guten Mächte, die Gott zur Seite stehen.

Der evangelische Theologe und Widerstandskämpfer Dietrich Bonhoeffer war sich ihrer Gegenwart gewiß. In einer ausweglosen Situation, nachdem er der Vorbereitung am Attentat gegen Hitler überführt worden war, erwartete er seine Hinrichtung. Und dennoch schrieb er in seiner Gefängniszelle zur Jahreswende 1944/45 ein beeindruckendes Gedicht. Da heißt es unter anderem:

Von guten Mächten treu und still umgeben,
behütet und getröstet wunderbar,
so will ich diese Tage mit Euch leben
und mit Euch gehen, in ein neues Jahr.

Wenn sich die Stille nun tief um uns breitet,
so laß uns hören jenen vollen Klang
der Welt, die unsichtbar sich um uns weitet,
all deiner Kinder hohen Lobgesang.

Von guten Mächten wunderbar geborgen,
erwarten wir getrost, was kommen mag.
Gott ist mit uns am Abend und am Morgen
und ganz gewiß an jedem neuen Tag.

Die Renaissance der Engel

Lange schienen die jenseitigen Geschöpfe vergessen zu sein. In der Literatur und der Kunst behielten sie allerdings ihren Platz. Den konnte ihnen dort niemand streitig machen. Herausragende Schriftsteller wie Goethe, Heine, Rilke oder Brentano integrierten sie in ihre Werke. Auch zeitgenössische Autoren wie Wolf Biermann oder Peter Härtling haben sich mit ihnen beschäftigt.

Maler wie Bosch, Rembrandt, Rubens, Gauguin, Raffael oder Blake, nicht zu vergessen Marc Chagall, der große jüdische

Maler dieses Jahrhunderts, haben Engel auf die Leinwand gebannt. Andere Künstler, wie Ernst Barlach, gaben ihnen in ihren Skulpturen Form und Gestalt. Und wer kennt sie nicht, die Barockhimmel voller Putten unter süddeutschen Kirchendecken – fragwürdige Engel allerdings, reduziert auf niedliche pausbackige geflügelte Lockenköpfchen –, »himmlische Kindergärten«.

Es fällt auf, daß ihr Aussehen mit der Zeit immer menschenähnlicher wurde, und mit der Verniedlichung ging eine Verkitschung der Darstellungen einher. Vor solch profanen Engeln hat allerdings niemand mehr Achtung und Respekt.

Die Tendenz der Verkitschung mag dazu beigetragen haben, daß auch Christen der Existenz der Engel skeptisch gegenüber stehen. Gut, zu Weihnachten läßt man sie sich als »Begleitchor« zur Geburt Jesu noch gefallen. Das ist was fürs Gemüt und verleiht dem ganzen Geschehen in Bethlehem und unter dem Weihnachtsbaum einen feierlichen Rahmen. Genau genommen werden sie bei dieser Haltung jedoch genauso zu »Jahresendflügelpuppen« degradiert, zu denen sie die atheistische marxistisch-leninistische Philosophie der ehemaligen DDR-Genossen machte. Was bleibt, sind niedliche weißgekleidete Rauschgoldfiguren, im kulturellen Vakuum schwebend, ohne Bindung an irgendwas.

An dieser Entwicklung haben die Kirchen – die evangelische mehr als die katholische – einen erheblichen Anteil. Während der Reformator Martin Luther noch regelmäßig über Engel, deren Wirken und deren Bestimmung predigte, wurden sie im Zuge der Aufklärung vor Scham in die Nischen prostestantischer Gotteshäuser verbannt.

Auch einige führende Theologen des 20. Jahrhunderts vertraten den Standpunkt, man könne nicht in einer technisch-naturwissenschaftlichen Welt leben und gleichzeitig an Engel glauben. Sie leugneten allerdings auch Geister und Dämonen. Speziell die Engel waren für diese Theologen und Religionswissenschaftler nur noch »konkret-poetische Symbole« oder »metaphysische Fledermäuse« (epd 504/18.12.1995). Dermaßen abgewertet und ihrer Identität beraubt, gerieten sie weitgehend in Vergessenheit.

Doch, o Wunder, in den sakralen Nischen sind sie nicht geblieben, andere haben sie entdeckt und für ihre Zwecke vereinnahmt.

Eine wahre Invasion der himmlischen Heerscharen setzte etwa Ende der achtziger Jahre in Filmen, Musik, Literatur oder der Werbung ein. Engel, konfektioniert nach den individuellen Vorstellungen und Bedürfnissen ihrer weltlichen »Schöpfer« und Vermarkter, avancierten zu Kultfiguren.

Und vor allem: »In das dogmatische Vakuum, das die christlichen Kirchen in punkto Engel offengelassen haben, stoßen jetzt New-Age-Gurus und Anthroposophen mit ihren mystischen Engelvorstellungen«, diagnostizierte 1991 die Evangelische Zentralstelle für Weltanschauungsfragen. Diese Einrichtung der Evangelischen Kirche in Deutschland (EKD) unterstreicht den noch immer aktuellen Engel-Boom. Eine nicht zu unterschätzende Gefahr liegt darin, daß dieser Boom an den Kirchen völlig vorbeigeht, verpassen sie doch damit die Chance, auf den tatsächlichen Schöpfer der Engel, den Gott der Bibel, zu verweisen und somit manches richtigzustellen.

Statt dessen lassen sie zu, daß die Propheten des New Age sie in ihre diffuse Patchwork-Religiosität integrieren. Das heißt: In dem Sammelsurium von Elementen aller Religionen und verschiedener Geisteshaltungen nehmen sie vom Christentum unter anderem Gottes Diener der jenseitigen Welt und machen sie sich zu eigen. Eine clevere Strategie, läßt sich doch mit Transzendentem Neugierde wecken, Aufmerksamkeit erregen und das Image verbessern. Doch die Engel sind dort nicht mehr scheue, geheimnisvolle, überirdische Wesen. Sie sind zu berechenbaren Partnern des Menschen gemacht worden, zu unverzichtbaren Kumpels, Heinzelmännchen fürs Innere. Einer ist zuständig für die Beseitigung von Ängsten, andere bauen Streß ab, wieder andere stärken den Mut, fördern das Verantwortungsbewußtsein, beseitigen seelischen Unrat oder leiten den Menschen auf dem Weg der Liebe. Die Kontaktaufnahme mit ihnen ist im Selbstverständnis der Esoteriker die Quelle der Inspiration, der Lebenskraft und der Weisheit. Allein im Jahr 1995 erschienen etwa 100 neue Bücher, die sich den Himmelswesen widmeten – die weitaus meisten davon hatten mit deren tatsächlicher Herkunft nichts zu tun.

Bei dem insgesamt massiven Auftreten himmlischer Heerscharen in allen kulturellen Bereichen ist es nicht verwunderlich, daß im November 1995 eine repräsentative Umfrage (Forsa-Institut, Dortmund, im Auftrag des Magazins »P.M.«, München) eine relativ hohe Engelgläubigkeit der Deutschen feststellte: Fast jeder zweite (48 Prozent) glaubt danach an einen persönlichen Schutzengel. 42 Prozent sind davon überzeugt, daß Engel Freunde der Menschen sind. Mehr als ein Drittel der Befragten (34 Prozent) sieht in ihnen Botschafter Gottes. 24 Prozent stellen sie sich mit Flügeln vor, 21 Prozent mit weißen Kleidern. Jeder zehnte der Befragten behauptet sogar, schon einmal einen Engel gesehen oder gespürt zu haben.

Mit der Renaissance der Engel scheint die Zeit vorbei zu sein, die überwiegend vom Glauben an das Machbare und Beweisbare dominiert wurde, in der das Bewußtsein für die jenseitige Dimension fast verlorenging.

Zu wünschen wäre, daß sich diese Akzeptanz der Engel, in die richtigen Bahnen geleitet, auch bei Christen durchsetzt, denn nicht umsonst mahnte Martin Luther: »Es ist notwendig und nützlich, daß bei Christen ein rechtes Verständnis von den Engeln bleibe, damit das junge Volk nicht aufwachse und weder lerne noch wisse, was die lieben Engel vorhaben oder machen. Sie sollen aber Freude daran haben und Gott dem Herrn für diese Wohltat danken.«

Heute würde der Reformator wohl auch das alte Volk in diese Aussage einbeziehen.

Die Engel in der Bibel

Das Wort »Engel« geht in seiner Bedeutung zurück auf das griechische Wort »Angelos« und bezeichnet einen Boten. In der Bibel sind mit Engeln fast immer Boten Gottes gemeint. Etwa 300mal ist im Alten und Neuen Testament von solchen Boten

Gottes die Rede. Das bedeutet: In der Bibel wird die Existenz der Engel ausdrücklich gelehrt. Sie spielen zwar meistens nur für kurze Zeit eine Hauptrolle, aber sie gehören durchgehend und selbstverständlich in den Ablauf der Ereignisse.

Erstmals werden Engel erwähnt im Zusammenhang mit der Vertreibung von Adam und Eva aus dem Paradies. *»Da wies ihn (den Menschen) Gott der Herr aus dem Garten Eden, daß er die Erde bebaute, von der er genommen war. Und er trieb den Menschen hinaus und ließ lagern vor dem Garten Eden die Cherubim mit dem flammenden, blitzenden Schwert, zu bewachen den Weg zu dem Baum des Lebens«* (1. Mose 3, 23-24).

Zum letzten Mal wird ein Engel erwähnt im Zusammenhang des großen Finales, der Vollendung des göttlichen Plans mit dem Universum. Am Schluß der Offenbarung, dort, wo es um die Wiederkunft Jesu geht, heißt es: *»Ich, Jesus, habe meinen Engel gesandt, euch dies zu bezeugen für die Gemeinden. Ich bin die Wurzel und das Geschlecht Davids, der helle Morgenstern«* (Offenbarung 22,16).

Zwischen diesen beiden Textstellen zieht sich das Wirken der Engel wie ein roter Faden über einen Zeitraum von Jahrtausenden, finden sich Belege über ihre vielfältigen Dienste und Aufgaben, inklusive der prophetischen Aussagen, die die Rolle der Engel in der letzten Phase unseres Universums bei der Wiederkehr Jesu definiert.

Aufgrund der Aussagen der Bibel läßt sich zunächst sagen, daß die Engel – ebenso wie die Menschen – von Gott geschaffen wurden. Der Apostel Paulus bringt das in einem seiner Briefe zum Ausdruck. Bezogen auf Jesus Christus, schreibt er: *»Durch ihn ist alles geschaffen worden, was im Himmel und auf der Erde lebt, alles, was man sehen kann und auch die unsichtbaren Mächte und Gewalten«* (Kolosser 1,16). Wie sie erschaffen wurden, bleibt allerdings ein Geheimnis Gottes.

Im Hebräerbrief (Hebräer 1,14) werden die Engel beschrieben als »dienstbare Geister«, und nur ein halber Satz umreißt ihre Aufgabe. Sie sind demnach »ausgesandt um derer willen, die das Heil ererben sollen«. Das bedeutet keineswegs, daß jeder Christ oder sogar jeder Mensch einen persönlichen Engel in seiner Nähe hat. Nirgends ist in der Bibel davon die Rede, daß die Boten Gottes diesbezüglich allgegenwärtig sind.

Nach meinem Verständnis bezieht sich dieser dienstbeschreibende Halbsatz zuerst auf die Christen. Ich möchte aber nicht bezweifeln, daß er auch Menschen einschließt, die durch das Handeln der Engel erst noch die Spur des Glaubens entdecken sollen, um dadurch zu Gott zu finden. Das würde jedenfalls erklären, daß Nichtchristen entsprechende Erlebnisse mit Engeln hatten.

Allerdings ist in der Bibel auch von Engeln die Rede, *»... die ihren himmlischen Rang nicht bewahrten, sondern ihre Behausung verließen ...«* (Judas 6, vergl. auch 2. Petrus 2,4). Engel also, die gegen Gott gesündigt haben, allen voran Satan (griech. diabolos = Durcheinanderwerfer, Auseinanderbringer, Verleumder) als Gegenspieler Gottes mit seinen Dämonen im Gefolge. Ich kann mir vorstellen, daß sie durch vermeintlich »gute Taten« versuchen, Menschen für sich zu gewinnen und letztlich gegen Gott aufzubringen. Im Buch Hiob wird der Teufel ursprünglich zu den »Gottessöhnen« (Hiob 1,6) gezählt, also zum himmlischen Hofstaat.

Eindeutige biblische Berichte über den Zusammenhang der Rebellion Satans und seiner abgefallenen Engel gegen Gott gibt es nicht. Die Bibel warnt jedoch in vielfacher Weise vor den tödlichen Gefahren, die von ihnen für Leib und Seele ausgehen. Das Bestreben des Satans, Gott zu stürzen und an seiner Stelle Herrscher des Universums zu werden, entfachte nach biblischem Verständnis einen noch immer andauernden geistlichen Kampf im Himmel und auf der Erde – letztlich einen Kampf um jeden Menschen. Mehr noch: In dieser Rebellion des Teufels ist die hauptsächliche Ursache für Chaos, für das Leiden der Menschen und der Schöpfung zu sehen. Sein Bestreben ist es, den idealen Plan Gottes für die Menschheit zu zerstören oder anders gesagt: seine Trennung von Gott auf die Menschen zu übertragen. In dieser Auseinandersetzung stehen die Engel Gottes den Kindern Gottes zur Seite.

Martin Luther bezeichnete die himmlischen Diener Gottes, ähnlich wie der Verfasser des Hebräer-Briefes, als »Geistwesen ohne Körper, von Gott zum Dienst an der Christenheit und der Kirche erschaffen«. Dieser Dienst der Engel ist übrigens nur ein Dienst am Menschen. Im Menschen wirkt der Heilige Geist. Aber in vielen Fällen unterstützt der Dienst der Engel das Wirken des Heiligen Geistes.

Nach den Aussagen der Bibel steht also fest: Gott hat sich in seiner unsichtbaren, ewigen Welt Wesen geschaffen, die ihm zur Seite stehen, einen Hofstaat, himmlische Heerscharen, die für ihn kämpfen und die ihm dienen. Engel handeln dabei allerdings nie eigenmächtig, sondern strikt nach dem Willen Gottes. Sie beinflussen diesen Willen Gottes nicht und können auch den Inhalt seiner Botschaften nicht verändern, sondern nur vollstrecken. Namentlich bekannt sind der Erzengel Michael (Wer ist wie Gott) und Gabriel (Gott ist mächtig). Die Apokryphen nennen dazu noch Raffael (Gott heilt) und Uriel (Licht ist Gott). Sie weisen schon durch ihre Namen auf den Höchsten hin, sind ihm also eindeutig unterstellt.

Die Tatsache, daß beispielsweise der Erzengel Michael verschiedentlich mit dem Titel »Engelfürst« versehen wird, läßt meines Erachtens auf eine Rangordnung unter den Engeln schließen (Daniel 10,13-21;12,1; Judas 9; Offenbarung 12,7).

An etlichen Stellen in der Bibel werden auch Angaben über ihre Anzahl gemacht, die jedoch differieren. Der Prophet Daniel sah im Traum: »*Tausendmal Tausende dienten ihm, und zehntausendmal Tausende standen vor ihm*« (Daniel 7,10). Und Jesus sagte bei seiner Gefangennahme zu Petrus, als der ihn verteidigen wollte: »*Steck dein Schwert an seinen Ort! ... Oder meinst du, ich könnte meinen Vater nicht bitten, daß er mir sogleich mehr als zwölf Legionen Engel schickte?*« (Matthäus 26,52-53). Nach der damaligen Stärke einer Legion (6.000 Soldaten) wären das also mehr als 72.000 Engel gewesen. Exakte Angaben über ihre Gesamtzahl werden in der Bibel nicht gemacht.

Spärlich sind die Angaben über ihr Aussehen. Fest steht: Obwohl sie Geistwesen sind, erschienen sie teilweise damals wie heute den Menschen als Mensch, nehmen also physische Gestalt an. Engel begeben sich auf eine Begegnungsebene, die wir verstehen, die für uns alltäglich ist. Beispiele finden sich in den Berichten über Abraham, Lot (1. Mose Kap. 18 u. Kap. 19) oder Gideon (Richter 6, 11-22). Meistens erscheinen sie, ohne von den Menschen als Boten Gottes erkannt zu werden. Ihr Erkennen und ihr Weggehen geschieht jedoch oftmals in einer Weise, die den Verstand übersteigt (Richter 6,21).

An anderen Stellen, etwa der Offenbarung des Johannes, wird lediglich gesagt, daß sie, in weiße Kleider gewandet, sichtbar wurden und goldene Gürtel trugen (Offenbarung 1,13 u. 15,6). Wie unterschiedlich das Äußere sein kann, unterstreicht ebenfalls Johannes: *»Und ich sah einen andern starken Engel vom Himmel herabkommen, mit einer Wolke bekleidet, und der Regenbogen auf seinem Haupt und sein Antlitz wie die Sonne und seine Füße wie Feuersäulen«* (Offenbarung 10,1). Es fällt auf, daß die Beschreibungen dieser Geschöpfe Gottes nie ins Detail gehen. Vielleicht deshalb, weil die menschlichen Sinne damit überfordert sind, alle Einzelheiten zu erfassen.

Davon, daß Engel fliegen können, ist übrigens die Rede, doch nur in zwei Textpassagen wird ein fliegender Engel beschrieben: *»Und ich sah einen anderen Engel fliegen mitten durch den Himmel, der hatte ein ewiges Evangelium zu verkünden denen, die auf Erden wohnen, allen Nationen und Stämmen und Sprachen und Völkern«* (Offenbarung 14,6).

Die Tatsache, daß in der Bibel weder detaillierte Angaben über das Aussehen von Engeln noch über ihre Gesamtzahl und Erschaffung gemacht werden, läßt den Schluß zu, daß dies alles nicht von Bedeutung ist. Entscheidend ist demnach nur, was die Engel tun. Und alles andere soll wohl auch für uns Menschen unwichtig sein.

Die Grenzgänger – wie ich sie nenne – zwischen der unsichtbaren und der sichtbaren Welt dienen, verkürzt gesagt, Gott und in seinem Auftrag auch den Menschen. Bevor wir zu konkreten Erlebnissen mit Engeln kommen, möchte ich einiges zu ihrem Wesen und ihrer Aufgabe schreiben, damit wir eine gute Grundlage haben. Die Aufgabe der Engel kann in sechs Bereiche aufgeteilt werden:

1. Die Engel loben Gott.
2. Engel vollstrecken die Strafen Gottes.
3. Engel sind Gottes Beobachter.
4. Engel verkünden die Entscheidungen Gottes.
5. Engel helfen in Gefahr und Not und begleiten.
6. Engel kämpfen gegen die Mächte des Bösen, also gegen die Mächte des Satans.

Diese sechs Wirkungsbereiche möchte ich anhand biblischer Aussagen näher beleuchten. Widmen wir uns zunächst dem Gottesdienst im Himmel:

1. Die Engel loben Gott:

Das himmlische Heer umgibt Gott und hält so gewissermaßen »Wache am Thron« – der Begriff vom Hofstaat fiel bereits. Der Dienst dieser Engel besteht hauptsächlich in der fortwährenden Anbetung und Huldigung Gottes. Jesaja berichtet im Zusammenhang mit seiner Berufung zum Propheten: *»In dem Jahr, als der König Usija starb, sah ich den Herrn sitzen auf einem hohen und erhabenen Thron, und sein Saum füllte den Tempel. Serafim standen über ihm; ein jeder hatte sechs Flügel: mit zweien deckten sie ihr Antlitz, mit zweien deckten sie ihre Füße, und mit zweien flogen sie. Und einer rief zum andern und sprach: Heilig, heilig, heilig ist der Herr Zebaoth (d.h. Gott der Heerscharen), alle Lande sind seiner Ehre voll«* (Jesaja 6, 1-3). Dies ist übrigens die zweite Bibelstelle, in der von fliegenden Engeln die Rede ist, und die einzige, in der Flügel als Fortbewegungsmittel erwähnt werden.

2. Engel vollstrecken die Strafe Gottes:

Engel sind Gottes Exekutive, also ausführende Gewalt. Von einer Strafaktion Gottes, vollstreckt durch einen Engel, berichtet das Buch der Könige: »*In derselben Nacht kam ein Engel des Herrn in das Lager der Assyrer und tötete dort einhundertfünfundachtzigtausend Mann. Als der Morgen anbrach, lag alles voller Leichen*« (2. Könige 19,35). Auf diese Weise beschützte der Engel im Auftrag Gottes das Volk Israel vor der vermeintlichen Übermacht seiner Feinde.

Allerdings ist es wieder ein Engel, der auch das auserwählte Volk Gottes bestrafte. Als sein König David entgegen Gottes Willen (nach dem Bericht in der Chronik) eine Volkszählung durchführte, um die waffenführenden Männer zu erfassen: «*Da ließ der Herr eine Pest über Israel kommen, so daß siebzigtausend Menschen aus Israel starben. Und Gott sandte den Engel nach Jerusalem, es zu verderben. Aber während des Verderbens sah der Herr darein, und es reute ihn das Übel. Und er sprach zum Engel, der das Verderben anrichtete: Es ist genug; laß deine Hand ab! Der Engel des Herrn aber stand bei der Tenne Araunas, des Jebusiters. Und David hob seine Augen auf und sah den Engel des Herrn stehen zwischen Himmel und Erde und ein bloßes Schwert in seiner Hand ausgestreckt über Jerusalem. Da fielen David und die Ältesten, mit Säcken angetan, auf ihr Antlitz*« (1. Chronik 21, 14-16).

Im nachhinein ließ Gott den Ungehorsam Davids dem gesamten Volk zum Segen werden. An der Stelle, wo der König den Brandopferaltar für die Versöhnung mit Gott errichtete, wurde danach von Salomo der Tempel gebaut.

3. Engel sind Gottes Beobachter:

Der Apostel Paulus sagt über sein Amt: »*Es sieht so aus, als hätte Gott uns Aposteln den allerletzten Platz angewiesen. Wir stehen da wie Verbrecher, die zum Tod in der Arena verurteilt sind. Ein Schauspiel sind wir für die ganze Welt, für Engel und Menschen«* (1. Korinther 4,9).

Der Theologe Werner de Boor erläuterte zu diesem Resümee: »Viele Augen sehen auf die kämpfenden und leidenden Apostel, Augen aus der sichtbaren und unsichtbaren Welt. Dabei kann der Ausdruck »Engel« sowohl die Geisterwesen der himmlischen wie der dämonischen Welt meinen. Paulus weiß sich von beiden gespannt beobachtet (Wuppertaler Studienbibel, Der erste Brief des Paulus an die Korinther, R. Brockhaus Verlag Wuppertal/Brunnen Verlag Gießen). Diese Eigenschaft, des Beobachtens, schließt meines Erachtens auch die Rückmeldung des Gesehenen an Gott ein und beeinflußt dessen eventuelles Handeln.

4. Engel verkünden die Entscheidungen Gottes:
Hierfür gibt es zahlreiche Beispiele. Die beiden bekanntesten des Neuen Testaments finden sich im 1. Kapitel des Lukasevangeliums. Genau wie gegenüber Abraham (1. Mose 18,1-15), dem Stammvater Israels, kündigte ein Engel die Geburt eines Sohnes an. Zu den Parallelen gehört auch, daß die künftigen Eltern wiederum an Gott glauben und bereits hochbetagt sind. Zacharias, der Vater in spe, versah gerade seinen Priesterdienst im Tempel: *«Da erschien ihm der Engel des Herrn und stand an der rechten Seite des Räucheraltars. Und als Zacharias ihn sah, erschrak er, und es kam Furcht über ihn. Aber der Engel sprach zu ihm: Fürchte dich nicht, Zacharias, denn dein Gebet ist erhört, und deine Frau Elisabeth wird dir einen Sohn gebären, und du sollst ihm den Namen Johannes geben. Und du wirst Freude und Wonne haben, und viele werden sich über seine Geburt freuen«* (Lukas 1, 11-20). Es geschah alles so, wie es der Engel Gabriel – in diesem Fall gab er sich namentlich zu erkennen – gesagt hat. Johannes hatte als Lebensaufgabe, den Messias anzukündigen und die Menschen zur Umkehr aufzurufen. Als Zeichen dieser Umkehr nahm er die Taufe mit Wasser vor. Johannes der Täufer wurde sechs Monate vor Jesus geboren.

Auch die Geburt des Messias, also die Menschwerdung Gottes, wurde zuvor angekündigt. Dadurch bekam das nachfolgende Geschehen für die beteiligten Menschen einen ganz besonderen Stellenwert, sahen sie sich doch ganz unmittelbar hineingenommen in das Handeln Gottes.

Der gleiche Engel, der Zacharias erschien, übermittelte die Botschaft von der Geburt Jesu: *»Und im sechsten Monat wurde der Engel Gabriel von Gott gesandt in eine Stadt in Galiläa, die heißt Nazareth, zu einer Jungfrau, die vertraut war einem Mann mit Namen Josef vom Hause David; und die Jungfrau hieß Maria. Und der Engel kam zu ihr herein und sprach: Sei gegrüßt, du Begnadete! Der Herr ist mit dir! Sie aber erschrak über die Rede und dachte: Welch ein Gruß ist das? Und der Engel sprach zu ihr: Fürchte dich nicht, Maria, du hast Gnade bei Gott gefunden. Siehe, du wirst schwanger werden und einen Sohn gebären, und du sollst ihm den Namen Jesus geben. Der wird groß sein und Sohn des Höchsten genannt werden; und Gott der Herr wird ihm den Thron seines Vaters David geben, und er wird König sein über das Haus Jakob in Ewigkeit, und sein Reich wird kein Ende haben«* (Lukas 1,26-38).

Bei dieser Art von direkter Nachrichtenübermittlung ist immer Gott als der Sendende im Mittelpunkt – nicht die Engel als Überbringer. Eine Wertigkeit, die man sich immer vor Augen halten sollte.

Was mit Blick auf das Leben Jesu mit der Ankündigung der Geburt bei Maria begann, setzte sich fort. Josef, ihr Verlobter, wollte sie verlassen, vielleicht aus Angst vor dem, was die Menschen in seiner Umgebung über ihn denken und sagen könnten. Die Verlobte schwanger – ein uneheliches Kind, Vaterschaft ungeklärt. Sein guter Ruf stand auf dem Spiel. Ein Engel, der ihm im Traum erschien, brachte ihn davon ab, Maria zu verlassen. Statt dessen nahm Josef Maria zu sich.

Es ist bezeichnend, daß die Engel Jesu Lebensweg begleiteten und bis auf eine Ausnahme immer an den entscheidenden Stationen seines Lebens in Erscheinung traten. Zunächst verkündete ein Engel die Geburt des Sohnes Gottes, und zwar ausgerechnet den

Hirten, damals eine Randgruppe der Gesellschaft, ausgegrenzte und verlotterte Typen, Abschaum. *»Und der Engel des Herrn trat zu ihnen, und die Klarheit des Herrn leuchtete um sie; und sie fürchteten sich sehr. Und der Engel sprach zu ihnen: Fürchtet euch nicht! Siehe, ich verkündige euch große Freude, die allem Volk widerfahren wird; denn euch ist heute der Heiland geboren, welcher ist Christus, der Herr, in der Stadt Davids. Und das habt zum Zeichen: ihr werdet finden das Kind in Windeln gewickelt und in einer Krippe liegen. Und alsbald war bei dem Engel die Menge der himmlischen Heerscharen, die lobten Gott und sprachen: Ehre sei Gott in der Höhe und Friede auf Erden bei den Menschen seines Wohlgefallens«* (Lukas 2, 9-14).

Engel wirken in Kombination: Die Verkündigung wurde um das Lob Gottes bereichert.

5. Engel helfen in Not und Gefahr und begleiten:
Kurz nach der Geburt war der Sohn Gottes schon im höchsten Maße schutzbedürftig, und die guten Mächte griffen wieder ein, unblutig, aber effektiv. Es galt, den menschgewordenen, aber hilflosen Gott vor dem Zugriff des Herodes, des Königs von Roms Gnaden, zu beschützen. Der hatte von der Geburt eines neuen Königs gehört und fürchtete um seinen Thron. Wieder hatte Josef einen Traum: *»Da erschien der Engel des Herrn dem Josef im Traum und sprach: Steh auf, nimm das Kindlein und seine Mutter mit dir und flieh nach Ägypten und bleib dort, bis ich dir's sage; denn Herodes hat vor, das Kindlein zu suchen und umzubringen«* (Matthäus 2, 13).

Als Erwachsener, bevor Jesus sein öffentliches Wirken begann, wurde er schwer vom Satan traktiert. Er manövrierte ihn in die Versuchung, seine Gaben und göttlichen Machtmittel zu mißbrauchen, sie willkürlich nach eigenem Ermessen einzusetzen und zu verwerten. Der Teufel wollte Jesus dazu bewegen, sich von Gott zu trennen, sich auf der Erde sozusagen selbständig zu machen. Jesus widerstand all diesen Versuchungen. Als dann der Satan von ihm abließ, dienten dem Sieger die Engel, die Gott ihm schickte, und versorgten ihn mit dem Lebensnotwendigen (Matthäus 4,1-11).

Später, am Ende seines rund dreiunddreißigjährigen Lebens, geriet Jesus in die tiefste Not, in die ein Mensch je gekommen ist. In dieser Nacht in Gethsemane wußte er, daß seine Feinde nur darauf warteten, ihn zu ergreifen. Er wußte, daß Judas, einer seiner Jünger, ihn verraten würde. Er sah, daß die verbliebenen elf Jünger schliefen, anstatt ihn betend und tröstend zu begleiten. Ihm war bewußt, daß ihm die Hinrichtung am Kreuz bevorstand, eine der bestialischsten Todesarten überhaupt. Jesus wußte zwar, daß er, der vollkommen unschuldig und ohne Sünde war, mit seinem stellvertretenden Tod für die Menschen eine Brücke zu Gott bauen kann. Doch wo war sein himmlischer Vater? Selbst von Gott schien er verlassen zu sein – aber nicht von allen guten Geistern, denn *»…es erschien ihm aber ein Engel vom Himmel und stärkte ihn. Und er rang mit dem Tode und betete heftiger. Und sein Schweiß wurde wie Blutstropfen, die auf die Erde fielen«* (Lukas 22,43-44). Himmlische Begleitung auch hier.

Bei seiner Gefangennahme war für Jesus klar, daß viele tausend Engel nur auf einen Befehl aus seinem Munde warteten, um ihn aus den Händen seiner späteren Mörder zu befreien. Die Engel Gottes waren hier und wohl auch danach bei seiner Kreuzigung unsichtbar anwesend, beobachteten also das, was mit dem Sohn ihres obersten Dienstherrn geschah. Aber ein Eingreifen auf Befehl Gottes in diesen entscheidenden Stunden der Heilsgeschichte passierte nicht. Und Jesus gab dieses Kommando auch nicht, obwohl seine Autorität dies ermöglicht hätte. An dieser Stelle wird meines Erachtens deutlich, daß auch ein Nicht-Eingreifen der Engel von Gott geplant ist, um letztlich Entscheidendes zu realisieren.

Mit dem Tod Jesu am Kreuz ist das Wirken der himmlischen Mächte keineswegs vorbei gewesen. Am dritten Tag nachdem Jesus am Kreuz gestorben war, machten sich zwei Frauen auf den Weg zu dem Felsengrab, in dem man Jesus bestattet hatte. Sie wollten dem Toten einen letzten Dienst erweisen und den Leichnam ölen und salben. Unterwegs schon hatten sie sich Gedanken darüber gemacht, wie sie wohl den schweren Stein beiseite bekämen, mit dem man die Grotte verschlossen hatte. Außerdem standen römische Soldaten als Wache davor. *»Und siehe, es geschah ein großes Erdbeben. Denn der Engel des Herrn kam vom Himmel herab, trat hinzu und wälzte den Stein weg und setzte sich darauf. Seine Gestalt war wie der Blitz und sein Gewand weiß wie Schnee. Die Wachen aber erschraken aus Furcht vor ihm und wurden, als wären sie tot. Aber der Engel sprach zu den Frauen: Fürchtet euch nicht! Ich weiß, daß ihr Jesus den Gekreuzigten sucht. Er ist nicht hier; er ist auferstanden, wie er gesagt hat. Kommt her und seht die Stätte, wo er gelegen hat; und geht eilends hin und sagt seinen Jüngern, daß er auferstanden ist von den Toten. Und siehe, er wird vor euch hingehen nach Galiläa; dort werdet ihr ihn sehen. Siehe, ich habe es euch gesagt. Und sie gingen eilends weg vom Grab mit Furcht und Freude und liefen, um es den Jüngern zu verkündigen. Und siehe, da begegnete ihnen Jesus ...«* (Matthäus 28, 2-9).

Wie schon bei Jesu Geburt, sind es auch diesmal Engel, die die gute Nachricht übermitteln – nicht nur einige tröstende Worte, sondern Sätze, die eine Grenze sprengen, die Grenze vom Diesseits zum Jenseits. Gott hat mit dem Tod Jesu und der anschließenden Auferstehung eine neue Dimension eröffnet für seinen Sohn und alle, die an ihn glauben: ewiges Leben in der Gegenwart Gottes.

Bemerkenswert ist hier, wie bei vielen vorangegangenen Beispielen, daß dem Erschrecken der Menschen bei der Begegnung mit den Engeln Trost und Freude folgten. Und das wichtigste: Der Glaube an Gott wurde gestärkt.

Das wird, auch ohne ausdrückliche Erwähnung, bei Jesu Himmelfahrt so gewesen sein. Gerade noch hatte der Auferstandene mit seinen Jüngern geredet, ihnen letzte wichtige Weisungen anvertraut, als er emporgehoben wurde. Und dann standen sie da, seine Begleiter, sahen ihm nach, wie er sich weiter und weiter von ihnen entfernte. Schließlich verhüllte eine Wolke das weitere Geschehen. Wehmütig wurden sie und vielleicht kamen sie sich ein wenig alleingelassen vor. Und wieder waren es Engel, die etwas

Entscheidendes taten. Sie holten die himmelwärts blickenden Jünger zuerst auf den Boden der Realität zurück und sagten dann wieder etwas Mutmachendes. Im Original liest sich das so: *»Und als sie ihm nachsahen, wie er gen Himmel fuhr, siehe, da standen bei ihnen zwei Männer in weißen Gewändern. Die sagten: Ihr Männer von Galiläa, was steht ihr da und seht zum Himmel? Dieser Jesus, der von euch weg, gen Himmel aufgenommen wurde, wird so wiederkommen, wie ihr ihn habt gen Himmel fahren sehen«* (Apostelgeschichte 1,10-11).

Die Engel kündigten also die Wiederkunft Jesu an, sorgten dafür, daß die »Hiergebliebenen« und »Diesseitigen« bis zum heutigen Tag eine Perspektive haben.

Jesus Christus selber hat mehrfach gegenüber seinen Jüngern betont, wie diese Wiederkunft vor sich gehen wird. *»Wenn aber der Menschensohn in seiner Herrlichkeit kommt, begleitet von allen Engeln, dann wird er sich auf den königlichen Thron setzen«* (Mattäus 25, 31). Die Engel werden also auch dann an seiner Seite sein und eine besondere Aufgabe haben: *»Wenn die Posaune ertönt, wird er seine Engel in alle Himmelsrichtungen ausschicken, damit sie von überall her die Menschen zusammenbringen, die er erwählt hat«* (Matthäus 24,31).

6. Engel kämpfen gegen die Mächte des Bösen:

Der Kampf Gut gegen Böse oder Gott gegen Satan ist nach biblischem Zeugnis ein alltäglicher Kampf durch die Jahrtausende, ein Kampf, der auch jetzt im Augenblick tobt. Dahinter steckt, wie gesagt, das Bestreben Satans, den Menschen von Gott fernzuhalten oder von Gott zu trennen. Wer mit offenen Augen durch die Welt geht, sieht zumindest die Auswirkungen dieses Kampfes. Die reichen vom Krieg über den Hunger in der Welt bis zur Zerstörung der Umwelt. Die Ursache ist immer Egozentrik, weil der Mensch seine ursprüngliche Mitte, seinen Bezugspunkt, den Schöpfer verloren hat, weil er sich anmaßt, der Größte zu sein, das Maß aller Dinge. Das zeigt sich in der großen Weltpolitik bis hinein in die engste Verbindung zwischen Menschen, in der Ehe. Zu diesem Kampf gehört demnach die persönliche Entscheidung eines Menschen, sich auf Gott und sein Wort einzulassen oder ihn »einen guten Mann« sein zu lassen und weiter eigene Kreise zu drehen. Nicht umsonst sagte Jesus knallhart: *» Wer nicht für mich ist, der ist gegen mich, und wer mir nicht sammeln hilft, der zerstreut«* (Lukas 11,23).

In der Offenbarung des Johannes wird dieser Kampf Gottes gegen den Satan und dessen Engel ausführlich beschrieben, obwohl vieles noch verschlüsselt bleibt. Die Apokalypse ist eben das Buch mit sieben Siegeln. Berichtet wird, daß der Erzengel Michael der Befehlshaber des göttlichen Heeres ist. Er führte die Engel Gottes in den Kampf gegen den Drachen (Satan) und vertrieb ihn aus dem Himmel. *»Und es entbrannte ein Kampf im Himmel: Michael und seine Engel kämpften gegen den Drachen. Und der Drache kämpfte und seine Engel, und sie siegten nicht, und ihre Stätte wurde nicht mehr gefunden im Himmel. Und es wurde herausgeworfen der große Drache, die alte Schlange, die da heißt Teufel und Satan, der die ganze Welt verführt, und er wurde auf die Erde geworfen, und seine Engel wurden mit ihm geworfen«* (Offenbarung 12,7-9).

Das bedeutet also, daß der Gegenspieler Gottes schließlich endgültig und unwiderruflich seiner Macht beraubt wird. Der Teufel kann zwar noch entfesselt auf der Erde die grausamsten Taten verüben und herumwüten, aber er kann letztlich den Heilsplan Gottes mit der Welt nicht mehr durchkreuzen.

Beendet wird nach der Offenbarung das Treiben des Bösen nach einer entscheidenden Schlacht, die noch bevorsteht: *»Und der Teufel, der sie verführte, wurde geworfen in den Pfuhl von Feuer und Schwefel, wo auch das Tier und der falsche Prophet waren; und sie werden gequält werden Tag und Nacht, von Ewigkeit zu Ewigkeit«* (Offenbarung 20,10).

Erlebnisse mit Engeln –
Begegnungen mit der unsichtbaren Welt

Die Aufzeichnungen in der Bibel machen deutlich: Häufig und gerade an den Brennpunkten der Heilsgeschichte hat Gott sich der Engel bedient, um seine Pläne durchzusetzen. Wer das wegdiskutiert, macht Abstriche an der Heilsgeschichte. Das halte ich für gefährlich. Immerhin könnte dann auch alles andere in Frage gestellt werden.

Ich bin der Überzeugung, daß Gott letztlich auch ohne diese besonderen Helfer seine Ziele erreicht hätte, aber er hat sie nun mal für seine Zwecke erschaffen und eingesetzt. Es ist übrigens nirgendwo erwähnt, daß der Dienst der Engel irgendwann aufhören oder für bestimmte Zeiten unterbrochen sein würde. Daraus folgere ich, daß sie ständig, auch in diesem Augenblick, im Einsatz sind.

Wenn auf den folgenden Seiten Christen das schildern, was sie ihrer tiefsten Überzeugung nach dem Wirken von Engeln zuschreiben, sogenannte Schutzengelerlebnisse, dann halte ich diese Erfahrungen keineswegs für naiv, kitschig oder für sentimental überhöhte glückliche Erfahrungen. Es ist ein biblischer Befund, daß Engel denen, die an Gott glauben, in Gefahr und Not helfen, sie trösten und begleiten. Karl Barth, einer der größten theologischen Köpfe der evangelischen Kirche in diesem Jahrhundert, empfahl: Man solle die Engel so nehmen, »wie sie uns in der Bibel begegnen«.

Ich möchte darum die geschilderten Engelerlebnisse ebenfalls so nehmen, wie sie mir berichtet wurden, und gleichzeitig versuchen, sie in Relation zu den biblischen Aussagen zu stellen. Auf persönlichen Wunsch vieler Berichtender wird in den meisten Fällen darauf verzichtet, den vollen Namen zu nennen. Die Anschriften liegen sowohl mir als auch dem Verlag vor.

Eine der bekanntesten Zusagen in der Bibel bezüglich der Engel steht in den Psalmen. *»Denn er hat seinen Engeln befohlen, daß sie dich behüten auf allen deinen Wegen, daß sie dich auf Händen tragen und du deinen Fuß nicht an einen (Zahlwort) Stein stoßest«* (Psalm 91,11-12).

Gott löste dieses Versprechen beispielsweise ein bei Daniel. Daniel, ein ehemals jüdischer Gefangener, war am Hofe des Mederkönigs Darius in den Fürstenstand erhoben worden. Das rief die Neider auf den Plan. Daniel fiel einer Intrige zum Opfer, in der nichtsahnend der König eine entscheidende Rolle spielte. Er erließ ein Gesetz, demzufolge niemand im Land zu einem anderen Gott beten durfte als zu ihm, dem König selbst.

Doch David betete nach wie vor zu seinem Gott, dem Gott der Bibel. Daraufhin wurde er gefangengenommen. Der König, der ihn zwar lieb hatte, war trotzdem gezwungen, Daniel zu bestrafen, um nicht seine eigene Autorität zu untergraben. Auf seinen Befehl wurde David abends in eine Grube geworfen, in der wilde und wahrscheinlich auch ausgehungerte Löwen eingesperrt waren. Als der König am nächsten Morgen ängstlich und aus Sorge um den Freund zu dieser Grube ging, war ein Wunder geschehen. Daniel erklärte es so: *»Mein Gott hat seinen Engel gesandt, der den Löwen den Rachen zugehalten hat, so daß sie mir kein Leid antun konnten. Denn vor ihm bin ich unschuldig, und auch gegen dich, mein König, habe ich nichts Böses getan. Da wurde der König sehr froh und ließ Daniel aus der Grube heraus, und man fand keine Verletzung an ihm, denn er hatte Gott vertraut«* (Daniel 6,23-24).

Von einer Bewahrung ganz anderer Art berichtete 1990 der Fernsehjournalist Peter Hahne. Der Redakteur der heute-Nachrichten des ZDF erzählte während eines öffentlichen Vortrags:

Eine engel-lische Autofahrt?

Es ist eine Geschichte, die mich zutiefst bewegt hat. Sie ist zu schön, um wahr zu sein. Aber sie ist wirklich so passiert. Tatsächlich! Und sie klingt fast wie ein Märchen.

Da steigt ein Autofahrer in seinen Wagen, bepackt mit viel Gepäck. Man merkt, da geht es in den Urlaub oder auf eine weite Reise. Und bevor er den Motor starten kann, kommt ein Mann vorbei und klopft an sein Autofenster – ein fremder Mann. Der Fahrer kurbelt die Scheibe runter, und dann sagt dieser Mann: »Wissen Sie eigentlich, daß Gott seinen Engeln befohlen hat, daß sie über Ihnen sein sollen und Sie auf all Ihren Wegen behüten sollen?«

Der Autofahrer packt sich an den Kopf, macht die Scheibe schnell wieder hoch, startet und denkt: »So ein Quatsch. Mit so einem religiösen Firlefanz stört er mich hier bei meiner Abreise. Das darf doch nicht wahr sein. Engel und Gott hat befohlen ... Ach du liebes bißchen, ich verlass' mich auf meine Fahrkünste, auf mein TÜV-geprüftes Auto, auf genug Benzin und auf meine PS«, und fährt los.

Er fährt wenige Kilometer auf der Autobahn, und dort passiert das, was zum Schlimmsten gehört: Als ein LKW nach links ausschert und er nicht mehr bremsen kann, fährt er voll hinein. Was übrigbleibt, ist ein riesiges Trümmerfeld. Das Auto zur Unkenntlichkeit verstümmelt, überall liegen die Teile herum. Die Polizei und die Rettungsmanschaft kommen. Und dann steigt plötzlich aus diesen Trümmern heraus der Autofahrer – nur ein paar Schrammen und einen schweren Schock. Und in diesem Schockzustand hört er, wie ein Polizist zum anderen sagt: »Du, der muß aber einen Schutzengel gehabt haben.«

Er muß in den nächsten Ort transportiert werden, braucht keinen Krankenwagen, weil er ja nicht verletzt ist, ein LKW-Fahrer nimmt ihn mit. Er sitzt da nun auf dem Beifahrersitz. Was soll man sich mit solch einem Mann unterhalten, der im Schockzustand ist? Also stellt dieser Lastwagenfahrer das Radio an. Und genau in der Sekunde, in der er das Radio anstellt, beginnt die achtstimmige Motette von Mendelssohn Bartholdy: Denn er hat seinen Engeln befohlen über dir, daß sie dich behüten auf allen deinen Wegen.«

Am 29. November 1992 wurde in Völkershausen, das liegt knapp 50 Kilometer südwestlich von Eisenach, eine neue Kirche eingeweiht – an sich nichts Außergewöhnliches, aber in diesem Fall doch. Die evangelisch-lutherische Gemeinde hatte nämlich bei der Kirchenleitung der Thüringer Landeskirche den Antrag gestellt, ihr Gotteshaus von St. Annenkirche in Michaeliskirche umbenennen zu dürfen. Was veranlaßte die Christen eines Ortes, der mitten in einem Kalibergbaugebiet liegt, die Kirche statt weiterhin nach der Schutzpatronin der Bergleute nach dem Erzengel Michael zu benennen?

Es waren Ereignisse, die die Menschen von Völkershausen und Umgebung wohl nie vergessen werden. Der Ortspfarrer Reinhard Süppke schildert sie wie folgt:

Kontrolliertes Chaos

Im Herbst 1988, also noch zu DDR-Zeiten, schienen sich die Ängste der Bürger in den beiden Dörfern Völkershausen und Wölferbütt zu verdichten: So wie es 1975 in Sünna ein künstliches Erdbeben gab, so kommt es wieder. Diesmal bei uns! Zu den bekannten Sprengzeiten im Kalibergwerk Merkers waren die Leute sehr hellhörig geworden: 6.00 Uhr, 14.00 Uhr, 22.00 Uhr. Vor allem um 22.00 Uhr konnten Vibrationen wahrgenommen werden, die sich durch die Detonation unter Tage bis an die Oberfläche übertrugen. Viele hörten ein leises, dumpfes Grollen. Bei anderen klirrten sogar die Gläser im Schrank. In Gerüchten, die auch von Bergleuten kamen, war von zu dünnen Stützpfeilern und »Raubbau« die Rede. Aber alles nur hinter vorgehaltener Hand. Besonders die Bewohner von Wölferbütt waren beunruhigt. Sie erzählten von Rissen, die an Häusern auftraten. Vermesser, die die Schäden an den Häusern aufnahmen und ein Schadenskataster erstellen sollten, wurden als Vorboten des kommenden Unglücks angesehen.

Ein Kirchenältester machte den Vorschlag, die Ängste der Leute in die sonntägliche Fürbitte während des Gottesdienstes aufzunehmen. Um die Leute des kleinen Nachbarortes Wölferbütt nicht noch mehr zu ängstigen, und nicht eventuell von staatlichen Stellen der Panikmache bezichtigt zu werden, formulierten wir es allgemein: »Behüte unsere Gegend vor Katastrophen jeder Art. Herr, erbarme dich.«

Ich wurde dann gefragt: »Was sagst du aber, wenn es doch passiert?« »Weiß ich nicht!« war meine Antwort.

Die zuständigen staatlichen Stellen hatten offensichtlich die Ängste der Bürger mitbekommen. Sie veranstalteten Bürgerversammlungen, um die Einwohner zu beruhigen. In Völkershausen fand eine solche Versammlung am Montag, dem 6. März 1989, statt. Und es wurde öffentlich versichert: »Ein zweites Sünna wird es nicht geben.«

Eine Woche später, 13. März 1989: Es war ein ganz normaler Montag. Ich erinnere mich noch, daß ich kurz vor 14.00 Uhr zu Hause Tee gekocht habe. Mit der heißen Teekanne in der Hand schritt ich vom Flur über die Schwelle zur Stube – da passierte es. Es war, als ob ich bei hohem Seegang über ein Schiffsdeck lief, das gerade ins Wellental absackte – ich trat ins Leere. An der Decke sah ich einen Riß entstehen und wußte sofort: Das hat was mit der Sprengung unter Tage zu tun.

Andere Leute waren gerade im Garten. Sie sahen, wie sich die Erdoberfläche in Wellen bewegte, die Obstbäume sich hoben und senkten. Jemand, der auf einem Feld außerhalb stand, hörte die Erde grollen. Im Fallen sah er eine riesige Staubwolke über Völkershausen. Es hatte also entgegen der Vermutungen unser Dorf getroffen.

Es waren nur etwa 12 Sekunden, die denen, die es miterlebt haben, aber wie eine Ewigkeit vorkamen. Als meine Familie und ich auf der Straße standen, sahen wir viele andere, die in Panik aus ihren Häusern geflohen waren. Es stellte sich heraus, daß mehr als 80 Prozent der Häuser beschädigt waren. Bei mindestens fünfen stand der Abriß sofort fest. Bei den meisten Häusern waren die Schornsteine entweder heruntergefallen und zum Teil durch die Dächer oder auf die Straße gestürzt oder sie saßen verdreht obendrauf. In vielen Wohnungen waren die Schränke samt Inhalt umgekippt. Ein großes Chaos herrschte bei vielen.

Am Kirchturm der St. Annenkirche waren die Zerstörungen sehr deutlich zu sehen. Große Steine des alten Gemäuers lagen auf dem Kirchplatz verstreut. Die Haube saß irgendwie verdreht auf dem mächtigen Turm. Risse, die bis in die Fundamente hineinreichten, waren an den übrigen drei Seiten zu sehen. Die Turmuhr war um 14.02 Uhr stehengeblieben.

Am Abend dieses Tages hatte das Dorf weder Wasser noch elektrischen Strom. Der Katastrophenstab mußte bei Kerzenlicht arbeiten. Familien, auch meine eigene, mußten aus den einsturzbedrohten Häusern evakuiert werden. Ein Lautsprecherwagen der Nationalen Volksarmee fuhr durchs Dorf, um wichtige Dinge bekanntzumachen. Es sah aus wie im Krieg.

Was war unter Tage eigentlich passiert? Als an diesem Montag der Sprengmeister seine Ladung zündete, knickten die Stützpfeiler der Stollen zu Tausenden wie Strohhalme ein, und zwar auf einer Länge von mehreren Kilometern. Dies hatte zur Folge, daß sich die Erdoberfläche unter Grollen verschob, absackte, aufbäumte und die Wellenbewegungen auslöste.

Doch es gab nicht nur eine Bilanz des Chaos und des Schreckens. Erst am späten Abend wird es offiziell, daß keine Toten oder Schwerverletzte zu beklagen sind – es hätten viele sein können. Und während einige sagten: »Glück gehabt!«, ahnten andere: Gott hat uns wunderbar bewahrt. Seine Engel waren da. Während Häuser wackelten, Wände barsten, Schornsteine umstürzten, Schränke umfielen, Stromkabel durchtrennt wurden, taten mittendrin im Chaos des Schreckens und der Verwüstung die Boten des Friedens ihren Dienst.

Einer ließ den Schornstein des Kindergartens so fallen, daß er nicht im Schlafraum der Kinder durch die Decke schlug, sondern eine Wandbreit daneben, im Nachbarraum.

Ein anderer hat ein Kind, das sonst ein Langschläfer ist, kurz vor 14.00 Uhr geweckt. Es ging zur Mutter, die es tröstend in den Arm nahm. In dem leeren Kinderbett lag später der Scherbenhaufen des zertrümmerten Geschirrs. Mehr noch: Da die Mutter gerade dabei war, die jüngere Schwester auf dem Couchtisch zu windeln, nahm sie die Kleine auf den Arm und ging der älteren

Tochter entgegen. Als das Erdbeben losging, schlug auch hier der Schornstein durch die Decke, und zwar genau auf den Tisch, auf dem eben noch das Kind gelegen hatte.

Ein dritter Engel wachte über einem alten Mann, der gerade seine Kaninchen fütterte. Als das Beben kam, konnte er verhindern, daß er von einem Kamin erschlagen wurde, der haarscharf neben ihm niederging. Hinter ihm brach der Schuppen zusammen, in dem der Mann kurz zuvor noch gewesen war und begrub unter sich 20 Kaninchen.

Ein Rentnerehepaar war gerade zu einer Besuchsreise in den Westen aufgebrochen. Nach dem Beben lag in den Betten der beiden der Schornstein.

Ein Junge wartete bis kurz vor 14.00 Uhr auf dem Kirchplatz darauf, daß das Konsum öffnet. Er stand an der Südecke Turm/ Kirchenschiff. Als die Öffnungszeit des Geschäfts näherrückte und sich noch jemand anstellte, ging auch er zum Eingang des Konsums. Gerade dort angekommen, fielen die Steine vom Turm. Er hatte im Streubereich gewartet.

Eine Frau, zwei Orte weiter, wollte ihre Schwester in Völkershausen besuchen. Plötzlich wurde sie von einer inneren Unruhe befallen, zog sich an, rannte zum Bus und fuhr bereits zwei Stunden früher los. Bei ihrer Schwester angekommen, ging sie entgegen ihrer Gewohnheit zuerst zu deren Enkelkind, das in der Krabbelbox auf dem Topf saß. Sie nahm den kleinen Jungen hoch und ging mit ihm auf den Flur. In diesem Moment bebte die Erde. Die Schrankwand über der Krabbelbox öffnete sich, und der Inhalt, ein Fleischwolf, einige große Kaffeekannen und viel Geschirr fiel heraus. Das Kind wäre wahrscheinlich tot gewesen. Nun kannte sie die Ursache für ihre Unruhe.

Jedes Jahr im Silvestergottesdienst singen wir das Lied von Dietrich Bonhoeffer: »Von guten Mächten wunderbar geborgen.« Den Inhalt des Refrains haben wir am 13. März 1989 nicht sichtbar und doch offensichtlich erlebt, und nur einige von vielen Beispielen der Bewahrung habe ich geschildert. Gottes Engel haben uns beschützt, sonst wäre sehr viel Schlimmeres auf uns zugekommen.

Nach dem Abriß der einsturzgefährdeten St. Annenkirche bekamen wir ein neues Gotteshaus. Wir haben uns für den Namen Michaeliskirche entschieden, weil wir dankbar an das Wunder zurückdenken, daß Gott uns durch seine Engel bewahrt hat, darum der Name des Erzengels Michael.

Alles Zufall oder was? Das Wort Zufall muß sehr schnell herhalten, wenn etwas unser Denkvermögen übersteigt oder wir uns gar nicht erst die Mühe machen wollen, intensiv über gewisse Zusammenhänge nachzudenken. Wird dieses Wort nicht inzwischen sinnentfremdet verwendet? Betrachtet man aber das Wort Zu-fall von seinem ursprünglichen Wortsinn her: Wenn etwas auf mich zufällt, habe ich keinen Einfluß darauf, weil ich selber nichts dazu oder dagegen tun kann. So gesehen trifft das Wort Zu-fall durchaus auf die ersten beiden und die folgenden Erlebnisse zu. Nichts spricht dagegen, daß es nicht die Hilfe eines oder mehrerer Engel war, die den Beteiligten zugefallen ist.

Auf Ilse H. aus Pritzwalk ist in zweierlei Hinsicht etwas zugefallen:

Gefährlicher »Zufall«

Es war im Mai 1994, als ich wie gewöhnlich am Sonntag zur Kirche gehen wollte. Wir haben vor dem Haus, in dem ich mit Verwandten wohne, einen schmiedeeisernen Zaun mit einer schweren Pforte, etwa 1,50 Meter hoch. Diese Pforte stand weit auf, und ich wollte sie der Ordnung halber beim Hinausgehen hinter mir schließen. Doch in diesem Moment bemerkte ich, daß diese Tür plötzlich auf mich zufiel. Ich wollte mich dagegenstemmen, konnte sie aber nicht halten, weil sie zu schwer war. So drückte sie mich zu Boden und fiel direkt auf mich drauf. Sie bedeckte mich bis zu den Schultern, nur der Kopf war noch frei.

Als ich mich vom ersten Schreck erholt hatte, wollte ich die eiserne Tür hochheben, mit beiden Händen faßte ich in das Gitter. Aber es ging nicht, war zu schwer. Dann rief ich um Hilfe, doch niemand hörte mich. Die Straße war menschenleer, die Nachbarn schliefen wohl noch, und meine Verwandten waren verreist.

Da fiel mir ein: Du hast ja noch gar nicht gebetet. Also betete ich um Befreiung und daß Gott jemanden schicken möge. Eigentlich hatte ich dabei an einen Passanten gedacht, der mich aus dieser prekären Situation befreien sollte.

Und plötzlich, noch während ich betete, hob sich diese Tür von allein, nicht sehr viel, aber so viel, daß ich mich rücklings nach hinten herauswinden konnte. Da kein Mensch zu sehen war, glaube ich, daß Gott mir einen seiner unsichtbaren Helfer geschickt hat – für mich einfach ein Wunder, für das ich heute noch danken kann.

Bei der anschließenden Untersuchung im Krankenhaus wurden lediglich Prellungen festgestellt. Nach einer Woche wurde ich wieder entlassen. Inzwischen hatte sich herausgestellt, daß sich die Verankerung der Eisenpforte im Mauerwerk gelöst hatte.

Ich möchte im folgenden fünf Ereignisse schildern, bei denen Menschen zwar wiederum keine Engel gesehen, dafür aber um so mehr gespürt haben. Bei allen Berichten handelt es sich um »Fallstudien« der gefährlichen Art – um Stürze.

Siegfried K. aus Lichtenstein in Sachsen erzählt:

Nicht an einen Stein ...

Obwohl es bereits 1962 war, ist es meiner Frau und mir doch, als ob es erst gestern geschehen sei. Wir beide gingen mit unserem zweijährigen Sohn eine sandgeschlemmte Straße entlang, die dann ziemlich steil bergab führte. Auf einmal rannte der kleine Thomas los, wurde immer schneller und fiel hin. Er rollte dann einige Meter die Straße hinunter. Direkt vor ihm lag ein großer

Stein, auf den er eigentlich mit dem Kopf hätte schlagen müssen. Ich höre mich noch meiner Frau zurufen:

»Guck, guck, hast du das gesehen?« Es war, als hätte jemand mit einer unsichtbaren Hand den Kopf des Kindes hoch gehalten und auf dem Stein ganz behutsam niedergelegt. Das alles ging schneller, als ich selber überhaupt hätte handeln können. Für uns war klar: Hier haben wir buchstäblich das erfahren, was im Psalm 91 versprochen wird.

Offensichtlich beinhalten die beiden Verse dieses Psalms nicht nur den Schutz der Füße, sondern auch des Kopfes – oder besser gesagt des ganzen Menschen, von Kopf bis Fuß.

Jette L. aus Neuendettelsau schildert, was ihr als kleines Kind passiert ist:

Auf Händen getragen

Ich war noch sehr klein, vielleicht gut drei Jahre alt. Meine Mutter hatte mich auf den Topf gesetzt, und zwar vor die Tür auf den Flur, denn im Schlaf- und Wohnzimmer waren alle Fenster zum Lüften weit offen. Mutter wollte auf diese Weise verhindern, daß ich mich erkältete. Und dann, in einem unbeobachteten Augenblick geschah es: Ich rutschte mit dem Töpfchen bis an die alte, steile Treppe – ein letzter Ruck, und ich fiel holterdiepolter diese steile Holztreppe hinunter. Ich spürte noch das holpernde Fallen von Stufe zu Stufe – immer schneller. Erschrocken kam die Mutter aus dem Zimmer, schlug die Hände über den Kopf und rannte die Treppe hinunter. Ich lag auf dem Steinboden und hatte über die linke Wange eine blutende Schramme. Ich wischte mit meinen Händchen daran herum. Mutter hob mich auf und drückte mich an sich. »Mein Kind, mein armes Kind! Wo tut es dir weh?« fragte sie aufgeregt.

Doch ich verstand nicht, warum meine Mutter so jammerte. Mitten im Fallen spürte ich nämlich, wie eine Hand unter mir war. Es war nichts Hartes da. Ich fiel sanft, wie in schützende, ausgebreitete Hände. Und ich fühle heute noch den starken Schutz unter mir. Zuletzt habe ich durch das Töpfchen noch eine Schramme auf die Wange bekommen, das war alles. Es hatte mich wohl ein Schutzengel behütet. Ich spürte eine unbeschreibliche Macht, die gegenwärtig war. Ich freute mich daran, konnte es aber damals noch nicht in Worte fassen.

Eine unbeschreibliche, gegenwärtige Macht – dieses Erlebnis war so prägend, daß es die inzwischen alte Frau ihr Leben lang nicht vergessen hat.

Daß Treppen auch für Erwachsene eine Gefahr sind, mußte Livia B. aus Frankfurt am Main erleben:

Jenseits der Schwerkraft

Es war im Herbst 1970, als ich zum zweiten Mal mit meiner blinden Mutter zu einem Kuraufenthalt in Bad Orb eintraf. Wieder wohnten wir in der Villa, in der wir schon bei unserem ersten Aufenthalt zu Gast waren, ein Altbau mit sehr hohen Räumen. Unser Zimmer befand sich im ersten Stock des Hauses.

Wenige Stunden nach unserer Ankunft verließ ich mit meiner Mutter unser Zimmer, um noch einiges zu erledigen. Ich durchschritt mit ihr den weiträumigen Flur und war gerade im Begriff, die Treppenstufen hinunterzugehen. Meine Mutter führte ich links von mir, damit sie sich gleichzeitig am Geländer festhalten konnte.

Beim Schritt von der zweiten auf die dritte Stufe muß ich anscheinend am Treppenbelag, einem Kokosläufer, hängengeblieben sein. Jedenfalls verlor ich jeglichen Halt und den Boden unter den Füßen. Vor mir lagen noch mindestens fünfzehn Treppenstufen, auf die ich, wenn alles folgerichtig abgelaufen wäre, mit ganzer Wucht hätte aufschlagen müssen. Ich hätte zu Tode fallen können oder wäre zumindest mit schweren Verletzungen liegengeblieben. Aber nichts dergleichen geschah.

In dem Augenblick, da ich keinen Halt mehr hatte, spürte ich ganz bewußt, wie sich Hände unter meinen Körper schoben. Mir war, als sei die Schwerkraft aufgehoben. Ich wurde in Sekundenschnelle über die Treppe hinweg getragen und unten ganz behutsam abgesetzt.

Noch heute empfinde ich, wie liebevoll und gefühlvoll dies alles geschehen ist. Dieses wunderbare Erleben wird mir für immer unvergeßlich bleiben, auf unsichtbaren Händen getragen worden zu sein.

Manfred G. aus Betzdorf hatte zwar kein Treppenerlebnis, aber 1993 widerfuhr dem damals Sechsundzwanzigjährigen etwas Ungewöhnliches in der Sporthalle (dran Nr. 1/95):

Indiaka rücklings horrizontal

Ich spielte in der CVJM-Sportgruppe hier am Ort Indiaka. Um eine vom Gegner kommende Indiaka noch zurückzuschlagen, rannte ich zwei Schritte rückwärts und merkte, daß ich doch nicht herankam. Also sprang ich etwas in die Luft, wobei ich mich jedoch zu weit nach hinten lehnte. Ich sah auf einmal nur noch die Decke der Turnhalle über mir und merkte, daß ich waagerecht in der Luft lag.

Da ich kein Leichtgewicht bin, registrierte ich noch: »Oha, das wird wehtun.« Doch ich merkte, daß ich ganz langsam zu Boden sank, gerade so, als ob mich Hände ganz langsam zu Boden gleiten ließen. Ich spürte keinen Schmerz. Meine Mitspieler, die das Geschehen verfolgten, sagten nachher, es habe ausgesehen, als ob ich überhaupt nicht mehr aufstehen würde, da ich zweimal mit dem Rücken wie ein Ball auf dem Boden aufschlug. Doch – wie gesagt – ich spürte keine Schmerzen und stand auch sofort wieder auf.

Bis heute bin ich überzeugt, daß mich ein Engel, den ich nicht sehen konnte, vor Schaden bewahrte und mich ganz sanft auf seinen Händen zu Boden gleiten ließ.

Der Schriftsteller Albrecht Gralle aus Northeim hat einiges gehört und erlebt, was er in den Zusammenhang mit Engeln bringt. Dazu gehört auch …

Ein ganz spezieller Sturzflug

Ich war als Dreizehnjähriger im Sommer Teilnehmer eines Zeltlagers. Es war toll. Abends das Lagerfeuer, Nachtwache, Spiele … Auf einer Wanderung ist mir dann was Merkwürdiges passiert.

Wir hatten in dieser Zeit gelernt, mit dem Kompaß zu wandern und auf der Karte eine Marschrichtungszahl anzupeilen. Jedenfalls, unsere Route ging manchmal quer durchs Gelände, und dann mußten wir auch noch eine Felsengruppe überklettern, die ungefähr zehn Meter hoch war.

Mir machte das Spaß. Aber beim Abstieg geschah es dann. Ich griff mit der rechten Hand in eine Vertiefung, um mich festzuhalten und erwischte ein Wespennest. Die Tiere kamen sofort herausgeschwärmt, umsummten meinen Kopf, stachen zu, und ich ließ vor Schreck los und stürzt ab.

Ich sehe alles noch genau vor mir: die Felsenwand, alles schwankte um mich herum. Aber aus irgendeinem Grund kam ich sicher unten an, als ob mir jemand beim Fallen geholfen hätte. Ich war auch nicht bewußtlos oder so. Die Gruppe war natürlich geschockt und dachte schon, ich wäre schwer verletzt, denn ich war fast fünf Meter tief gefallen. Aber ich konnte aufstehen und weitergehen. Eine leichte Schürfwunde hatte ich. Das einzig Unangenehme waren die Wespenstiche.

Während ich da herunterfiel, habe ich ein Stoßgebet gemurmelt. Vielleicht hat mich ja ein Engel bewahrt.

Die Empfindungen der Menschen in den letzten fünf Erlebnissen sind annähernd identisch. Sie sprechen von einer »unsichtbaren Hand«, einem »Gleiten« und von fast völliger körperlicher Unversehrtheit. Interessant ist das auch deshalb, weil sich diese Begebenheiten zu völlig verschiedenen Zeiten, an den unterschiedlichsten Orten und bei sich gänzlich fremden Menschen ereigneten.

Die folgenden fünf Begebenheiten haben als gemeinsamen Nenner nur, daß am Ende eine Bewahrung und Dankbarkeit stehen, ansonsten sind sie völlig verschieden.

Ingeborg W. aus Heiligenhaus erlebte als Sechsjährige etwas Sonderbares:

Die treibende Kraft

Es war kurz nachdem ich eingeschult worden war. Wenn ich nach Hause kam, erledigte ich fast immer gleich meine Hausaufgaben. Unsere Wohnung war im zweiten Stock und hatte außen, vor dem Wohnzimmer, einen langen Balkon mit einer Sitzgruppe. Wenn das Wetter schön war, machte ich meine Hausaufgaben dort.

Eines Tages setzte ich mich jedoch dazu ins Zimmer, obwohl draußen herrliches Wetter war. Meine Mutter war sofort zur Stelle, nahm meine Sachen, brachte mich wieder auf den Balkon und setzte mich auf die Bank vor dem Tisch.

Aus irgendeinem unklaren Gefühl heraus nahm ich kurz darauf meine Sachen und setzte mich wieder ins Zimmer. Wieder kam meine Mutter und verpflanzte mich nach draußen und wieder zog es mich hinein. So ging es einige Male hin und her, bis meine Mutter mich gewähren ließ.

Plötzlich fuhr ich zusammen, ein lauter Knall. Ich rief laut: »Mutti, der Balkon stürzt ab!«

Als meine Mutter ins Zimmer kam, war mit mir alles in Ordnung, aber als sie auf den Balkon schaute, traute sie ihren Augen nicht. Der war zwar noch vorhanden, aber genau auf die Stelle, an der ich vorher gesessen hatte, war eine große Steinkugel herabgestürzt, die zur Verzierung der Giebelspitze gehörte. Meine Mutter nahm mich in die Arme und sagte: »Komm, wir wollen jetzt Gott danke sagen, daß er dir einen Engel geschickt hat, der dich in der Stube hielt.«

Später stellte man fest, daß dort oben, neben dieser Kugel, ein Vogelnest war. Die Vögel hatten den Mörtel weggepickt, so daß sich die Kugel lösen konnte.

Hildegard K. aus Parkstetten erlebte etwas Besonderes, nachdem sie an einem Sommerabend die Bibelstunde besucht hatte:

Schein-werfer

Ich fuhr mit dem Rad dorthin. Auf meiner Hinfahrt war es noch hell. Nach der Bibelstunde wollte ich natürlich wieder mit dem Rad heimfahren, obwohl es schon dunkel geworden war. Ein Ehepaar, das auch dort war, sagte, ich solle das auf keinen Fall tun, und bedrängte mich geradezu, mit ihnen im Auto zu fahren. Kurzerhand luden sie mein Rad in den Kofferraum. Ich fand das sehr nett, zumal sie wegen mir einen Umweg machen mußten.

Wir fuhren dann eine Strecke, die gerade erst fertig gebaut und für den Verkehr freigegeben war. »Meinem Chauffeur« war sie daher unbekannt. Bald kamen wir an die Stelle, wo wir unserer Meinung nach links abbiegen mußten. Nur in der Ferne sahen wir die Lichter einiger Fahrzeuge. Aber plötzlich war ein aufgeblendeter Scheinwerfer ganz dicht vor uns an der linken Straßenseite. Wir sahen nichts und konnten unmöglich abbiegen. Notgedrungen mußten wir weiterfahren. Das Licht hinter uns verschwand. Der Fahrer fragte erstaunt, ob ich es auch gesehen hätte. Ich sagte: »Ja, das war aber seltsam.« Und er: »Ich konnte beim besten Willen nicht abbiegen.«

Sonderbarerweise kamen wir erst jetzt an die Stelle, an der wir links abbiegen mußten und gelangten ohne weitere Zwischenfälle nach Hause.

Und später, bei Tageslicht betrachtet, stellte sich heraus: Dort, wo wir eigentlich hatten abbiegen wollen, ging es eine drei Meter tiefe Böschung hinab. Von Signalleuchten oder einem Fahrzeug keine Spur. Diese Bewahrung war für uns ein Grund, Gott zu loben und zu danken.

Die beiden nächsten Erlebnisse spielen kurz vor Ende und kurz nach Ende des Zweiten Weltkriegs. In beiden Fällen ist eine Hilfe von außen nur im Ergebnis sichtbar geworden.

In den letzten Kriegsjahren heulten in Deutschland fast täglich die Alarmsirenen. In der Endphase konnten alliierte Bomberverbände fast ohne Gegenwehr im deutschen Luftraum operieren. Der Zivilbevölkerung blieb oft nur, sich in Bunker, improvisierte Schutzräume oder Keller zu kauern, bis ein Bombenangriff vorüber war.

Viele legten sich abends in ihren Kleidern schlafen, um bei Bombenalarm in der Nacht keine Zeit zu verlieren mit dem Anziehen. Und wenn es Luftalarm gab, dann ging es so schnell wie möglich in die Schutzräume, nur mit den wichtigsten persönlichen Dingen ausgestattet.

Auch die Stadt Siegen war häufigen Bombardements der alliierten Luftwaffe ausgesetzt. Zum einen, weil hier ein Knotenpunkt wichtiger Eisenbahnstrecken war, und zum anderen, weil es in Siegen schon damals viel metallverarbeitende Industrie gab. Manchmal kamen die Menschen tagelang nicht zur Ruhe.

Aus Siegen erreichte mich der Bericht von Gabriele W. aus dieser Zeit:

Die gläserne Wand

Meine Schwiegermutter hat uns des öfteren von einem Ereignis berichtet, das sich 1944 zugetragen hat. Ihr Mann war als Soldat in Frankreich, und sie hatte, wie viele junge Mütter in dieser Zeit der Not, allein die Verantwortung für vier Kinder.

Eines Nachts, so erzählte die Mutter meines Mannes, gab es wieder Luftalarm. Sie schnappte also wie gewohnt ihre Kinder und lief mit ihnen Richtung Schutzraum. Das war ein ehemaliger Bergwerksstollen. In seinem Eingang drängten sich bereits viele Menschen zusammen, das konnte sie schon von weitem erkennen. Kurz bevor sie den Stollen erreicht hatte, blieb sie jedoch stehen. Oder besser gesagt: Sie kam nicht mehr von der Stelle. Sämtliche noch funktionierenden Sirenen der Stadt heulten Alarm, vor ihr der vermeintlich sichere Bunker, doch sie und die Kinder kamen nicht vorwärts. Alle Versuche, sich irgendwie vorwärts zu bewegen, scheiterten. Es war, als würde jemand vor ihr stehen, der sie zurückdrängte, als würde vor ihr eine unsichtbare, gläserne Wand sein. Ihr blieb daraufhin nichts anderes übrig, als mit den Kindern schnell wieder heimzugehen, in den eigenen Keller, zumal dieser Stollen sowieso fast vollbesetzt war.

Auch diese Bombennacht ging vorüber, ohne daß meiner Schwiegermutter und den Kindern etwas passiert war. Am nächsten Vormittag erfuhr sie, wie groß die Schäden des Angriffs überall in der Stadt waren. Und sie erfuhr auch, daß vor den Stollen, in den sie mit den Kindern hatte flüchten wollen, eine Bombe gefallen war. Alle, die im ersten Teil dieses Stollens Schutz gesucht hatten, waren ums Leben gekommen. Ob überhaupt jemand lebend herausgekommen war, wußte sie nicht mehr. Sie wußte nur, daß sie und die Kinder mit Sicherheit unter den Toten gewesen wären, wenn sie nicht zurückgehalten worden wäre von dieser unsichtbaren Macht.

Es gibt zweifellos im Leben Situationen, in denen man unsichtbar sein möchte. Nicht umsonst halten sich Kleinkinder in schwierigen Lagen die Hände vor die Augen, in der Annahme, so nicht gesehen zu werden. Vielleicht ist es sogar ein bleibender Wunsch auch der Erwachsenen, einmal unsichtbar sein zu können.

Edeltraud F. aus Förthen hat diesbezüglich etwas Sonderbares erlebt:

Unsichtbar?

Es war 1946 in Thüringen. Damals glaubte ich zwar, daß es Gott gibt, aber das war kein lebendiger Glaube. Eine Bildhauerin in Weida hatte meine kleinen Aquarelle zu Gesicht bekommen und befahl mir fast, ich solle mich in Weimar an der Hochschule vorstellen. Weil aber im Dezember 1946 die Züge noch kaum verkehrten, hätte ich in Gera übernachten müssen. Wir kannten aber niemanden in Gera, und Hotels waren damals nicht sicher. Eine Freundin aus Volksschulzeiten riet mir, per Anhalter zu fahren, was damals gerade aufkam: »Mit einem LKW mitfahren – für ein paar Zigaretten machen die Fahrer das gern«, sagte sie. »Die haben außerdem ihre festen Aufträge, so daß keine Zeit ist, Dummheiten anzustellen.«

Meine Mutter war anderntags früh mit mir auf der Geraer Landstraße und sah sich die Fahrer an. Zwei biedere ältere Herren hielten an, und ich konnte mitfahren bis Ißerstedt bei Jena. Sie mußten nach Apolda und meinten: »Nach Weimar fahren viele Autos, da kommst du schon weiter.«

Ich tippelte mit meiner Zeichenmappe unterm Arm mutterseelenallein die Landstraße entlang. Es ging rauf und runter und bergan etwas langsamer, weil ich damals bereits mein Asthmaleiden hatte. Auf einer Höhe angelangt, blieb ich vor Schreck stehen, denn ich sah vor mir in der Mulde etwa 20 russische Soldaten herumrennen. Sie waren im August zu uns nach Thüringen gekommen, nachdem die amerikanischen Besatzungstruppen nach

Westen abgezogen waren. Viele schlimme Dinge passierten damals gerade Frauen und Mädchen. Diese Soldaten waren dabei, Telefonverbindungen zwischen den Städten herzustellen.

Was sollte ich machen? Eine ganze Stunde zurückzurennen ließ mein Asthma nicht zu. Außerdem konnten sie mich schon gesehen haben. Ich betete: »Lieber Gott, wenn du mich da sauber und heil durchbringst, will ich dir's danken. Bitte hilf mir.«

Dann ging ich mit langsamen Schritten weiter, hinunter in die Mulde. Ich ging weiter und weiter, unbeirrt, auch als ich die Männer erreichte ging ich zwischen ihnen hindurch. Zwei arbeiteten auf den Masten, die anderen wärmten sich auf. Ich konnte das nicht begreifen, sie liefen 10 Zentimeter an mir vorbei, vorne, hinten und seitwärts, aber keiner sah mich an, keiner sagte ein Wort zu mir. Mir war, als sei ich unsichtbar, keiner der Soldaten schien mich zu bemerken.

So was ist doch unmöglich, dachte ich. Wo so viele Männer beisammen sind und ein zweiundzwanzigjähriges Mädchen auftaucht, da werden doch Blicke gewagt und zumindest Bemerkungen untereinander gemacht. Nichts dergleichen, gar nichts.

Als ich hinter dem nächsten Hügel außer Sichtweite war, blieb ich abermals stehen. Mein Herz klopfte noch vor Angst und Staunen: »Lieber Gott, wie hast du das gemacht? Ich danke dir, ich danke dir.«

Später nahm mich dann ein fahrender Handwerker auf seinem Traktor mit bis fast zum Haus unserer Verwandten in Weimar.

Unbegründet war die Angst des jungen Mädchens vor den Soldaten nicht, denn immer wieder gab es, auch nachdem der Zweite Weltkrieg zu Ende war, Übergriffe auf die Zivilbevölkerung, insbesondere Gewalt gegenüber Frauen. Katharina K. aus Creussen schreibt:

Während des Zweiten Weltkriegs waren in Deutschland sehr viele ausländische Zwangsarbeiter. Nach dem Zusammenbruch des Dritten Reiches waren plötzlich alle Kriegsgefangenen und Zivilarbeiter frei. Während des Krieges war es ihnen meist ziemlich schlecht ergangen.

Meine Feundin war damals, im Sommer 1945, achtzehn Jahre alt. Eines Tages war sie im Wald beim Beerenpflücken. Da stand plötzlich einer dieser ehemaligen Zwangsarbeiter vor ihr, ein großer, kräftiger Mann. Er sagte zu ihr in gebrochenem Deutsch: »Dich bring' ich jetzt um.« Meine Freundin fragte ängstlich: »Aber warum denn?« Der Mann entgegnete: »Dein Volk hat uns so viel Böses angetan. Ich hasse euch alle. Darum bringe ich dich um.« Sie konnte daraufhin nur noch mühsam ein Gebet stammeln.

Doch plötzlich schaute der Mann, der sie bedrohte, an ihr vorbei und fragte: »Wen hast du da bei dir? Wen hast du mitgebracht?« Und dann sagte er verblüfft und ängstlich: »Da kommen ja immer mehr. Mit dir will ich nichts zu tun haben.« Daraufhin rannte er davon.

Meine Freundin sagte später verwundert: »Ich habe mich umgeschaut und niemanden gesehen.«

»Denn er hat seinen Engeln befohlen, daß sie dich behüten auf allen deinen Wegen, daß sie dich auf Händen tragen und du deinen Fuß nicht an einen Stein stoßest.« Wie vielfältig die Art und Weise ist, in der dieses Behüten geschieht, haben die Beispiele von »Daniel in der Löwengrube« bis zur Gegenwart gezeigt. Und es gibt noch mehr und noch erstaunlichere Varianten. Immer wieder berichten die Chronisten der Bibel davon, daß Menschen von Engeln eine Botschaft übermittelt bekamen. Das bedeutet: Wenn es nötig ist, dann sprechen Engel – auch heute. Dazu drei Beispiele:

Werner K. aus Mauer erinnert sich an eine bestimmte Situation während des Zweiten Weltkriegs an der sogenannten Ostfront:

Befehl aus dem Off

Ich war in Rußland stationiert und gehörte zur Nachrichtenabteilung der vierten Batterie meiner Division. Eines Tages mußte ich eine Telefonleitung in einen der Bunker in vorderster Linie legen. In diesem Bunker war ich dann als Beobachter. Meine Aufgabe bestand darin, das Beobachtete an den entsprechenden Offizier weiterzugeben, der einige hundert Meter hinter mir seinen Ausguck in einem der Bäume hatte und von dort die Flak-Stellung dirigierte. Diese Beobachtung des Feindes war von großer Wichtigkeit.

Ich war also nun in diesem Bunker, hatte das Telefon neben mir, schaute hinaus und versuchte zu erkennen, was da draußen vor sich ging. Plötzlich rief einer hastig den Befehl: »Raus, raus!« Ohne zu überlegen, rannte ich so schnell ich konnte ins Freie, gelangte in den Graben, der zum Bunker führte, und fand dort Deckung, noch immer das Telefon in der Hand. Kurz darauf ein Krachen, Detonationen. Es stellte sich heraus, daß mein Bunker durch Granattreffer völlig zerstört war.

Nur – wer hatte da drin »raus, raus« gerufen? Ich war dort die ganze Zeit allein gewesen. Ich denke, es war ein Engel, der mir das Leben gerettet hat.

Einige Wochen bevor der Zweite Weltkrieg zu Ende ging, hatte Arndt R., er wohnt heute in Burgstädt, sein Erlebnis der besonderen Art:

Das Versprechen

Es war Ende April 1945: Nachdem ich im Kurland verwundet worden war, durfte ich zurückkehren nach Deutschland. Zunächst war ich bei einer Genesungskompanie in Berlin. Seit Jahr und Tag litt die Hauptstadt unter grausamen und verheerenden Luftangriffen. Außerdem hörte man schon tagelang den Geschützdonner der russischen Armee, die jetzt schon die Stadtgrenze erreicht hatte. Ich war damals zwanzig Jahre alt und völlig verzweifelt über die sich dramatisch zuspitzende Lage.

Eines Nachts beim Wacheschieben übermannten mich wieder mal Sorgen und Verzweiflung über die allgemeine Situation und meine persönliche Zukunft. Und dann begab sich folgendes: Gegen meine Gepflogenheiten sagte ich laut vor mich hin: »Wo soll das alles noch hinführen?« Zu meinem großen Erstaunen kam prompt laut und deutlich die Antwort: »In zwölf Tagen wirst du zu Hause sein.« Und fast automatisch, obwohl ich ganz alleine auf Wache war, entgegnete ich resigniert: »Das glaube ich nicht.«

In den sich überstürzenden Ereignissen dieser letzten Kriegstage nötigten uns wenig später die Kommandeure, wir sollten uns mit Proviant versorgen. Ohne Entlassungspapiere schickten sie uns fort. So tippelte ich mit einem fremden Kameraden in Richtung Heimat, eine risikoreiche und gefährliche Wanderung. Und wirklich, 12 Tage später, am 12. Mai 1945 war ich daheim (mein Zuhause lag in der ehemaligen Tschechoslowakei), konnte meine Eltern, die geglaubt hatten, ich sei tot, in meine Arme schließen.

Etwas Ähnliches wie im vorletzten Erlebnis trug sich zu in Vaihingen. Martin M. hatte sich vermutlich auf einen ruhigen 1. Advent 1995 eingestellt, als plötzlich das Telefon klingelte:

Der Advents-Kracher

Meine Frau nahm den Hörer ab. Am anderen Ende der Leitung war unser Sohn Matthias. Seine Stimme war zwar deutlich, klang aber noch erregt: »Mama, mein Auto hat Totalschaden, aber ich bin unverletzt.« Und dann erzählte er, was passiert war. Er wollte mit seiner Familie zum Geburtstag seiner Schwägerin. Also fuhr er den Wagen aus der Garage. Die Garageneinfahrt fällt sehr steil ab, hat etwa drei Meter Höhenunterschied zur vorbeilaufenden Straße. Matthias stellte also den Wagen oben ab, legte den ersten Gang ein und ging wieder hinunter, um das Tor zu schließen. Er hatte gerade den Griff angefaßt, als jemand laut und deutlich rief: »Der Wagen rollt!«

Als er sich umdrehte, sah er das Auto schräg auf sich zukommen. Ein Satz in die Garage, und schon krachte es. Der PKW war direkt neben dem Tor schräg auf die Stützmauer aufgefahren. Wäre er nicht beiseite gesprungen, hätte er ihn wohl erdrückt. Zuerst hatte er gedacht, seine Tochter Julia hätte ihn durch den Zuruf gewarnt. Sie aber versicherte, nicht gerufen zu haben. Und sonst war kein Mensch weit und breit zu sehen. Unserer Meinung nach kann es nur ein Engel Gottes gewesen sein, der ihn gewarnt hat.

Dreimal Stimmen, ohne daß ein Mensch in der Nähe war. Zwei Warnungen und eine Verheißung.

Rosel F. aus Bad Winsheim hat eine stumme, aber sichtbare Gegenwart erfahren:

Nächtlicher Besuch

Als mein Mann noch lebte, habe ich etwas erlebt, was ich nie mehr vergessen werde. Ich ging jeden Abend um 21.30 Uhr ins Bett, um das Abendprogramm des Evangeliums-Rundfunks zu hören. Mein Mann kam immer erst danach. Nicht aus Desinteresse, sondern weil er taub war. Dann sang er mir jeden Abend noch ein Lied, betete einen Psalm oder einige Bibelverse. Den Abschluß bildete dann immer Luthers Abendsegen. Da heißt es am Ende: »Dein heiliger Engel sei mit mir, daß der böse Feind keine Macht an mir finde.«

Eines Nachts erwachte ich ohne Grund. Und weil ich wissen wollte, wie spät es ist, drehte ich mich zur anderen Seite, um auf den Wecker zu schauen. Doch dazu kam ich gar nicht. Neben meinem Bett an der Wand stand eine lichte Gestalt mit ausgebreiteten Armen und einem freudigen, schönen Gesicht. Während ich es einige Augenblicke ansah, verschwand dieses Himmelsgeschenk.

Als ich das meinem Mann erzählte, konnte er es kaum glauben und meinte, ich hätte geträumt. »Nein«, sagte ich, »das war kein Traum. Du betest doch jeden Abend: ›Dein heiliger Engel sei mit uns‹, warum sollte Gott das Gebet nicht erhören?«

»Ja«, meinte er, »eigentlich hast du recht.«

Dieses Erlebnis werde ich, wie gesagt, nie wieder vergessen. Und obwohl ich seit dem Tod meines Mannes alleine wohne, fürchte ich mich nicht. Ich weiß, daß ich bewacht werde.

Bei diesem, wie bei etlichen anderen Erlebnissen schoß es mir durch den Kopf: Da hätte der beschützte Mensch einen Fotoapparat haben müssen. Ich glaube zwar nicht, daß die Boten Gottes extra stillhalten und sich in Pose setzen, aber vielleicht wäre ein Schnappschuß den Versuch wert gewesen. Wir leben zwar in einer Zeit, in der Fotos keine Beweiskraft mehr haben, weil sie technisch perfekt zu manipulieren sind, aber von dieser oder jener Situation ein Foto, das wäre trotzdem was. Und dann, vor etwa drei Jahren, hörte ich von einem Erlebnis, bei dem ein Foto geschossen wurde. Über einen Zeitraum von zwei Jahren recherchierte ein guter Bekannter, bevor er beides hatte, das Foto und das dazugehörende Erlebnis. Was passierte, ereignete sich Anfang der neunziger Jahre:

Die Ruhe im Sturm

Eine junge Frau aus Norwegen war mit einem Passagierflugzeug unterwegs von Neuseeland nach Australien. Plötzlich geriet die

Maschine in einen gewaltigen Sturm. In den Turbulenzen sackte sie, fing sich wieder und wurde durchgeschüttelt, und das eine ganze Weile. Die Passagiere gerieten in Panik. Die Norwegerin begann in dieser gefährlichen Situation zu beten. Da bemerkte sie, daß weiter vorne eine Frau saß, die ebenfalls betete. Sie begab sich zu ihr, und die beiden beteten gemeinsam um Gottes Frieden für die Passagiere. Unmittelbar darauf erfüllten tatsächlich Ruhe und Frieden das Flugzeug, obwohl der Sturm weiterbrauste. Die Norwegerin ging wieder zurück an ihren Platz. Sie fühlte sich gedrängt, ein Foto zu machen von den durch diesen Sturm durcheinanderwirbelnden dunklen Wolkenmassen. Sie richtete ihre Kamera zum Fenster hinaus, mitten hinein in dieses himmlische Durcheinander.

Der Flug endete mit einer heilen Landung am australischen Bestimmungsort. Die junge Frau brachte ihren Film zum Entwickeln in eine Drogerie, vergaß aber, die Bilder gleich abzuholen. Eines Tages erhielt sie einen Telefonanruf des Drogisten. Er bat sie, doch einmal bei ihm vorbeizukommen, weil er mit ihr über eine bestimmte Aufnahme sprechen wolle. Wie sich bei dem Besuch herausstellte, handelte es sich um das Sturmbild. Obwohl die junge Frau im Sucher der Kamera nichts als dunkle Wolken hatte, ist auf der Fotografie deutlich eine lichte Gestalt zu sehen. Sie scheint ein langes Gewand mit Gürtel zu tragen und leicht, wie zum Segen, die Arme zu erheben. Der Kopf ist nicht zu erkennen. Spontan dachte ich: So stelle ich mir Jesus bei der Stillung des Sturmes auf dem See Genezareth vor.

Wer oder was dort abgelichtet wurde, wird ein Geheimnis bleiben. Aber das Bild hatte Konsequenzen. Für den Drogisten und seine Familie gab das Foto den Anstoß, Christen zu werden, so sehr waren sie von diesem Erlebnis der jungen Norwegerin beeindruckt.

Kurz bevor ich die Vorarbeiten zu diesem Buch beendete, die Recherchen waren bereits abgeschlossen, die interessantesten Erlebnisse ausgewählt, und alles mußte nur noch in Form gebracht werden, erreichte mich ein Telefonanruf. Am anderen Ende meldete sich eine Frau, die sich auf Umwegen bis zu mir durchgefragt hatte, um mir ihr Erlebnis zu erzählen. So richtig schien sie sich zuerst nicht zu trauen. Vielleicht befürchtete sie, ich würde ihr das nicht abnehmen, was sie mir berichten wollte. Nachdem ich ihre Bedenken zerstreut hatte, begann sie zu erzählen, allerdings nur unter der Bedingung, daß sie gegenüber Dritten anonym bleibt. Das habe ich ihr zugesichert. Später schickte sie mir ihren schriftlichen Bericht und ein Foto:

Die abgelichtete Lichtgestalt

Es war am 21. August 1995, einem heißen Sommertag. Mein Mann lag schwer erkrankt in der Klinik und hatte eine lebensrettende Bypassopration vor sich. Meine Tochter war zur Klinik gefahren. Ich blieb zunächst zu Hause und war vor Sorge und Angst um meinen Mann ganz verzweifelt. Bei einem Waldspaziergang hoffte ich, durch meine Gebete ein bißchen Ruhe zu finden. Wie immer bei meinen Spaziergängen hatte ich die Polaroidkamera dabei.

Wohl mehr, um mich abzulenken, machte ich ein paar Fotos, steckte sie aber, ohne sie genau betrachtet zu haben, in meine Tasche. Irgendwann fuhr ich dann nach Hause. Gerade dort angekommen, besuchte mich der Seelsorger unserer Gemeinde, der von der schweren Erkrankung meines Mannes wußte. Nach einem längeren Gespräch beteten wir noch gemeinsam, und er verabschiedete sich.

Kurze Zeit später erinnerte ich mich an die Fotos und beschloß, sie mir anzuschauen. Was ich auf einem dieser Bilder sah, konnte ich nicht begreifen. Ich weiß noch genau, daß ich im Wald einen Felsen anvisiert hatte. Was ich in Händen hielt, war zweifelsfrei das Bild eines sitzenden Engels, der das gesamte Format ausfüllt. Zu erkennen ist der cremefarbene Körper, der sich in seinen Konturen absetzt, von mächtigen Flügeln, hellgrün, mit hellen Lichtpunkten. Überhaupt ist alles auf dem Foto nur in

unterschiedlichen Farbkonturen, dominiert von Grüntönen gebannt, also nicht detailliert zu erkennen. Links auf dem Schoß
hält er etwas, das aussieht wie ein kleines Kind, und in der rechten Hand erkennt man etwas Helles, das man als Kerze deuten
könnte. Wenn ich es nicht in Farbe vor Augen hätte, ich würde
es bis heute nicht glauben. Sofort, als ich das Foto erblickte, kam
eine tiefe Ruhe über mich. Es war wie eine gute Erinnerung an die
Fürsorge Gottes, denn augenblicklich wußte ich meinen Mann
und mich, unsere ganze Familie in Gottes Hand geborgen. Dieses Bild ist mir zum Kostbarsten geworden, was ich habe, bis
heute. Und obwohl mein Mann noch immer mit erheblichen
gesundheitlichen Einschränkungen leben muß – die Operation
war nur zum Teil erfolgreich –, bin ich Gott für diesen Trost
dankbar.

Als sich die Jünger Jesu darüber stritten, wer einmal im Him-
melreich der größte sein würde, sagte Jesus: »*Wenn ihr nicht
umkehrt und werdet wie die Kinder, so werdet ihr nicht ins Him-
melreich kommen*« (Matthäus 18,3). Dieses Zitat läßt viele Aspek-
te der Interpretation zu. Einer ist meiner Ansicht nach der, daß
Kinder unvoreingenommen sind und gerade ihren Eltern einen
fast unbegrenzten Vertrauensvorschuß gewähren. Wenn ich meinen Kindern etwas erkläre, dann ist das für sie selbstverständlich
und unumstößlich die Wahrheit. Jesus meint mit seiner Aussage
auch: Vertraut dem, was euer Gott sagt, genauso, wie Kinder
ihrem Vater vertrauen. Ich denke, wenn Christen den Verheißun-
gen der Bibel unvoreingenommener und vertrauensvoller gegenüberstehen würden, dann wäre das geistliche Leben bei manchem
lebendiger.

In diesem 18. Kapitel des Matthäusevangeliums sind mehrere
Zitate Jesu zu finden, in denen es um Kinder geht. Im Vers 10
heißt es: »*Seht zu, daß ihr nicht einen von diesen Kleinen verach-
tet. Denn ich sage euch: Ihre Engel im Himmel sehen allezeit das
Angesicht meines Vaters im Himmel.*«

Nach meinem Verständnis sind mit den Kleinen nicht nur Anfänger im Glauben, nicht nur schlichte und einfache Christen gemeint, also die, die in der Gemeinde als schwach gelten, vielleicht sogar unterdrückt und von niemandem ernstgenommen werden. Ich meine vielmehr, daß damit tatsächlich auch die Kinder gemeint sind – ganz im wörtlichen Sinn. Das heißt: Gott sorgt dafür, daß gerade Kindern unkonventionell durch seine Engel geholfen wird. Dazu folgen sechs Beispiele.

Das erste Erlebnis verdeutlicht noch einmal: Nicht jeder sieht eine Engelerscheinung, wenn ihm in der Not geholfen wird. Manchmal sind nur die Spuren ihrer Fürsorge und ihres Einsatzes zu sehen.

Immanuel Dauner ist Pastor und lebt in Karlsruhe. Er erzählt:

Aussicht zum Hof

Wir wohnten in Böblingen im dritten Stock oben, die Kinder spielten im Hinterhof. Dort war ein Stück betoniert unter den Fenstern, und unsere zweite Tochter, damals vier Jahre alt, ging hinauf in die Wohnung und schaute oben, vom Badezimmer aus, den spielenden Kindern zu. Dabei verlor sie das Gleichgewicht und fiel aus dem Fenster. Sie hätte keine Chance gehabt vom dritten Stock aus, unten war der Betonboden. Vor diesem Fenster war nun noch eine Leine für die Wäsche. Und merkwürdigerweise hat sie sich dort so verhangen, daß sie nicht hinunterfiel. Die Kinder schrien, und so kam ich dazu, holte sie herein und sagte nur: »Kind, das war ein Schutzengel, der hat seine Hand zwischen dich und die Tiefe gehalten.«

Anita N. aus Chemnitz erlebte eine bedrohliche Situation anderer Art:

Als unser Sohn noch ein kleiner Junge war, erbat er sich eine Schere, weil er vom hohen Gras im Garten die Spitzen abschneiden wollte. Ich gab ihm die Schere; allerdings fragte eine Nachbarsfrau, ob mir das nicht zu gefährlich sei. Heute weiß ich, daß es eine freundliche Warnung Gottes war. Damals erkannte ich das nicht und erklärte, daß ja dieses Stück Wiese niemand betreten würde. Allerdings bedachte ich nicht, daß das Kind diesen Platz verlassen könnte mit der Schere in der Hand.

Etwas später schaute ich nur mal ganz kurz zum Fenster hinaus und sah, daß unser Sohn neben einem anderen Kind stand. Noch ehe ich etwas unternehmen konnte, ging der Arm unseres Jungen mit der nach vorne gerichteten Scherenspitze direkt auf das Auge des Nachbarmädchens zu.

In diesem Augenblick sah ich eine sehr große, starke Gestalt, die unserem Jungen den Arm zur Seite riß, zugleich hatte ich in diesem Augenblick die Gewißheit, daß es sich bei dieser mächtigen Gestalt um einen Engel handelte, der, weil er so schnell reagieren mußte, aus dem Verborgenen herausgetreten war. Wie gesagt, das war eine ganz mächtige Gestalt, aber ich sah sie nur von den Schultern abwärts; einen Kopf konnte ich nicht erkennen. Daß keine Zeit war, sich den Engel in Ruhe zu betrachten, leuchtet ein. Das ganze Geschehen ging nämlich sehr schnell vonstatten, und das Erblicken dieses Engels war kurz wie ein Hauch, weniger als ein Augenblick.

Man kann darüber denken, wie man will, für mich besteht kein Zweifel: Es war ein Engel. Wie gütig ist doch Gott, wenn man sich nur mal dieses einzige Erlebnis vor Augen stellt. Hätte er nicht das Entsetzliche zulassen können? Gott hätte doch mit Recht zu mir sagen können: Ich habe dich durch die Nachbarsfrau gewarnt, aber du hast ja die Warnung in den Wind geschlagen. Welch einschneidende Bedeutung hätte das Geschehen in meinem Leben, im Leben meines Kindes und im Leben der Familie des geschädigten Kindes gehabt?

Bei der Reaktion auf das Erlebte wird, wie schon einige Male zuvor, etwas Entscheidendes deutlich: Im Vordergrund steht nicht der Engel mit seiner Aktion, sondern der durch ihn handelnde Gott. Die Bibel ermahnt ausdrücklich dazu, nicht auf die Engel zu vertrauen, sondern auf ihren Schöpfer und Entsender: »*Laßt euch nicht irremachen von Leuten, die in ihren Visionen die Engelmächte schauen und die sich daraufhin in besonderen Frömmigkeitsübungen gefallen, um diese Mächte durch Verehrung günstig zu stimmen. Solche Leute sind ohne Grund eingebildet. Sie verlassen sich auf sich selbst, anstatt sich an Christus zu halten, der der Herr über alles ist. Von ihm als dem Haupt aus wird der ganze Leib, die Gemeinde, zusammengehalten und versorgt, damit er zur vollen Größe emporwächst, wie es Gott gefällt*« (Kolosser 2,18-19).

Und Martin Luther sagte in einer Predigt zum Michaelistag (benannt nach dem Erzengel Michael): »Also beten wir die Engel nicht an, trauen auch nicht auf sie, wie man bisher getan hat, sondern danken und loben Gott, daß er sie uns zugut geschaffen hat.« Die sichtbaren oder unsichtbaren Engeldienste sollen also immer die Brücke zu Gott sein, auf ihn hinweisen und auf seine Liebe und Fürsorge. Die Geschöpfe sollen nicht über dem Schöpfer stehen. Ich denke, die bisherigen und die noch folgenden Berichte sind Beispiele für eine geistlich richtige Einordnung.

Aus Heiligenstein im Elsaß erreichte mich der Brief einer alten Dame, die bereits in früher Kindheit eine besondere Erfahrung machte. Héléne B. schreibt:

Galoppierendes Unglück

Ich war zwei Jahre alt und spielte damals vor dem Haus auf der Staße. Irgendwo weiter hinten begannen, ohne daß ich es während des Spielens bemerkte, zwei Pferde zu scheuen, die einen großen Wagen zogen. Da der Kutscher sie nicht in den Griff bekam, gingen sie durch. Im gestreckten Galopp kamen sie auf mich zu, rannten mich um und über mich hinweg. Anschließend überrollten mich erst die vorderen und dann die hinteren Räder des Wagen. Das waren Holzräder, außen an den Rollflächen mit Eisenringen belegt. Mein Vater, der am Tor unseres Hauses stand, hatte alles mit angesehen. Ich aber stand auf und lief weinend fort. Mein Vater konnte nicht verstehen, daß ich außer ein paar Kratzern keine Verletzungen davongetragen hatte.

Daß ich noch am Leben bin, habe ich nur Gott und seinen Engeln zu verdanken, denn er hat ihnen befohlen, daß sie mich behüten auf allen meinen Wegen.

Die Zeiten ändern sich, mit ihnen auch die Transportmittel. Kinder aber sind gefährdet wie eh und je. Fast eine Neuauflage des gerade Geschilderten erfuhr Inge D. aus Moosbrunn etwa Mitte der sechziger Jahre auf ihrem Bauernhof:

Gehobene Freude

Morgens, nach dem Frühstück, sind die Kinder immer gern auf den Hof gelaufen. Und mein Mann ging raus und hat mit dem Frontlader Mist geladen. Unsere kleine Tochter Esther, die hat gehört, daß der Traktor läuft. Sie dachte: Da muß ich mal schnell hin und schauen, der Papa könnte mich auf dem Traktor mitnehmen. Mein Mann hat die Esther immer gern auf den Traktor gesetzt und sie dann auf der Seite festgebunden. So konnte sie dann schön mitfahren.

Diesmal hat mein Mann aber nicht gesehen, daß das Kind von hinten angelaufen kam, er fuhr gerade rückwärts. Und in diesem Moment erwischt er das Kind mit dem Hinterrad, und Esther kommt unter den Traktor. Mein Mann merkt plötzlich, wie das Rad hochgeht. Und wie er nach vorne schaut, liegt zwischen dem Hinterrad und dem Vorderrad das Mädchen. Er hat sie quer überfahren.

Und dann kam er gleich rein, das Kind auf dem Arm, und hat es dann auf die Couch gelegt und geschrien: »Ich hab' das Kind überfahren!« Im ersten Moment war die Esther bewußtlos, kam aber gleich wieder zu sich. Wir haben sie dann sofort zur Untersuchung ins Krankenhaus gebracht. Der Arzt hat sie gründlich untersucht und sagte dann: »Das ist nicht möglich. Sie haben das Kind nicht überfahren.« Da sagte mein Mann: »Ich weiß das ganz sicher. Das Rad ging hoch, und die Esther lag zwischen Vorder- und Hinterrad.« Und am Arm konnte man noch die großen Stollenabdrücke vom Reifen feststellen.

Am andern Tag kam dann meine Mutter, die war so beeindruckt. Und dann sagte sie: »Da war ein Engel, der hat den Traktor hochgehoben«, weil das Rad einfach ohne jeden Grund hochging. Eigentlich hätte das Kind platt überfahren sein müssen.

Der Vater der kleinen Esther rangierte übrigens damals mit dem tonnenschweren Traktor auf einer Betonplattform. Da hätte nach menschlichem Ermessen ein Kind wirklich keine Chance gehabt.

Im nächsten Kinderschutz-Ereignis wird ein kleiner Junge aus tödlicher Gefahr gerettet. Das Ganze hat sich vor gut zehn Jahren fast unbeobachtet abgespielt, aber die Indizien bestätigen die Aussagen des Betroffenen. Andrea B. aus Regensburg berichtet:

Das Bad im Regenkübel

Mein Sohn Alix war damals ungefähr dreieinhalb Jahre alt. Wir waren zu Besuch bei meinen Eltern in Iking, wo es rund ums Haus einige große Regenwasserbehälter gibt. Meine Mutter und ich waren an jenem Tag im August nun gerade nach der Gartenarbeit ins Haus zurückgegangen und dachten, Alix würde uns folgen, wie er es zuvor eigentlich immer gemacht hatte. Diesmal aber war das offenbar nicht der Fall gewesen, denn er stand bereits nach ganz kurzer Zeit, von Kopf bis Fuß völlig durchnäßt und weinend, vor uns. Während wir ihn in aller Eile auszogen, um ihn in ein warmes Bad zu setzen, erzählte er uns, was sich draußen ereignet hatte.

Er hatte sich also über einen der Regenbehälter gebeugt, war hineingefallen und untergetaucht. Aber – und nun kommt das, was ich praktisch wörtlich wiedergeben kann, weil wir das damals, nachdem alles geschehen war, sofort aufgeschrieben haben – »aber es war ein großer Mann gekommen, der ihn auf seinen Armen herausgehoben hatte«.

Dieser Mann war sehr groß und stark und braunhaarig – und er hatte einen riesigen, freundlichen Mund. Dieser Mann entschwand dann. Wir suchten natürlich sofort nach dem Mann, denn wir wollten diesem Retter ja danken. Das Gartentor aber war für Fremde unzugänglich verschlossen, und draußen auf der Straße war weit und breit niemand zu sehen.

Noch etwas ganz Außergewöhnliches hatte sich dabei zugetragen: Um den Wassertrog herum befand sich kein einziger Wasserspritzer, und es waren auch keine nassen Fußspuren von Alix zu sehen. Die aber hätten dasein müssen, wäre das Kind von selber wieder aus dem Trog herausgestiegen. Dies war nicht der Fall. Es war rundherum alles ganz, ganz trocken. Es mußte ihm also eine wunderbare Kraft zu Hilfe gekommen sein, um ihn zu retten. Dies war uns allen damals sofort bewußt. Und dafür sind wir sehr, sehr dankbar.

Von einigen Erlebnissen während des Zweiten Weltkrieges haben wir bereits gehört. Vermutlich haben die Boten Gottes in schlimmen Zeiten besonders viel zu tun.

Die Stadt Potsdam gehörte, wie überhaupt der Großraum Berlin, zum Hauptzielgebiet alliierter Bomberangriffe. Und damals hat Erika M. das Folgende erlebt:

Es war gegen Ende des Zweiten Weltkriegs. Ich war zu dieser Zeit als Krankenschwester am Städtischen Krankenhaus in Potsdam mit einer Station kleiner Kinder betraut. Wieder einmal gab es Alarm. Wir brachten unsere Patienten in den Keller. Und bald danach fielen Bomben – auch auf unser Krankenhaus. Der Keller, in den wir uns geflüchtet hatten, wurde zu einem Teil verschüttet. Eine Schwester wollte noch ein Kind in einen anderen Raum tragen, da wurde sie von einer einstürzenden Mauer begraben. So blieb das Kind nun allein im dunklen Raum zurück, da das Fenster von außen auch verschüttet war. Wir sorgten uns zwar um das Kind, konnten aber nicht helfen. Dann wurden wir mit den Patienten zu den Belitz-Heilstätten gebracht. Dort fanden wir eine Unterkunft in Baracken.

Jeden Tag kamen neue Patienten dorthin. Und am dritten Tag nach der besagten Bombennacht wurde auch das inzwischen befreite fünfjährige Mädchen gebracht. Wir waren sehr froh, daß es lebte und die Tage und Nächte überlebt hatte. Dann fragten wir sie, wie es ihr ergangen sei, ob sie große Angst gehabt hätte, allein dort unten in dem verschütteten Keller. Doch das Mädchen war ganz ruhig und sagte: »Nein, Angst hatte ich keine. Es waren doch lauter Engel da.« Wir konnten Gott nur danken für diese wunderbare Bewahrung.

Es ist nicht weiter verwunderlich, daß viele der Berichte, die mich im Laufe der Zeit erreicht haben, in der einen oder anderen Art und Weise etwas mit Verkehr oder Verkehrsmitteln zu tun haben. Engel umsorgen Menschen gerade in gefahrvollen Situationen. Und es wird uns kaum bewußt, wie viele Gefahren uns erwarten, wenn wir nur einen Fuß vor die Haustür setzen. Bei der Gliederung der einzelnen Begebenheiten gibt es selbstverständlich immer wieder Überschneidungen. Einige der vorgenannten Kinderschutz-Erlebnisse fallen genauso in die Rubrik »Verkehr«.

Mit »Engel der Landstraße« sind zwar im allgemeinen die Helfer von Pannenhilfsdiensten gemeint, aber bei allem Respekt für deren Dienst – die Engel Gottes sind besser:

Das älteste überlieferte Verkehrserlebnis mit einem Engel ist im Alten Testament zu finden. Die Hauptrollen spielen aber zunächst nicht der Engel und der Verkehrsteilnehmer, sondern der Engel und das Verkehrsmittel – ein Esel.

Bileam, so hieß der Besitzer des Vierbeiners, war ein Mann von hohem Ansehen. Er lebte in Mesopotamien und war von Beruf Prophet oder Weissager. Der Rat Bileams war weit über seine Region hinaus gefragt, und seine Zeitgenossen taten gut daran, sich an die Worte dieses Mannes zu halten, denn: Was Bileam segnete, blühte im Segen, und was er verfluchte, ging zugrunde.

Nun war der Nahe Osten bereits damals ein Spannungsgebiet, und das hatte Gründe. Von Süden her, aus Ägypten, kam das Volk Israel auf der Suche nach Land und Heimat bis an die Grenzen Kanaans. Gerade erst hatten die Israeliten die Heere der beiden Amoriterkönige Sihon und Og besiegt und deren Land besetzt. Jetzt lagerten sie östlich des Jordans. Kein Wunder, daß sich auch Balak, König der Moabiter, bedroht fühlte. Zahlenmäßig, das hatten seine Späher bereits ausgekundschaftet, waren seine Soldaten denen der Israeliten hoffnungslos unterlegen. Da blieb als letzte Hoffnung nur der etwa zwanzig Tagesreisen entfernt lebende Bileam.

Balak schickte ihm eine Delegation, ausgestattet mit vielen guten Worten auf der Zunge und wertvollen Geschenken im Gepäck. Damit sollten sie ihn dazu bringen mitzukommen, um die Israeliten zu verfluchen. Doch Bileam machte sich die Sache zunächst nicht einfach. Er ließ sich Zeit, damit Gott mit ihm reden konnte. Und der sagte im Traum unmißverständlich: »Geh nicht mit ihnen! Du darfst dieses Volk nicht verfluchen, denn ich habe es gesegnet.«

Nach dem negativen Bescheid Bileams an die Abgesandten, schickte Balak noch mächtigere Führer und Fürsten seines Volks, die noch größere Versprechen auf Ruhm, Ehre und Reichtum machen. Gott gab dann zunächst sein Einverständnis zur Reise (4. Mose 22,20), dennoch passierte dann folgendes:

»Am Morgen sattelte Bileam seine Eselin und machte sich mit den Abgesandten König Balaks auf den Weg. Darüber wurde Gott zornig. Während Bileam mit seinen Dienern dahinritt, stellte sich ihm der Engel des Herrn in den Weg. Die Eselin sah den Engel mit dem gezogenen Schwert in der Hand dastehen und wich ihm aus. Sie ging vom Weg ab ins Feld hinein. Bileam schlug die Eselin und trieb sie wieder auf den Weg zurück. Da stellte sich der Engel an eine Stelle, wo der Weg rechts und links von Weinbergmauern begrenzt war.

Die Eselin sah ihn und suchte auszuweichen. Sie drückte sich an die Mauer. Bileams Fuß wurde eingequetscht, und wieder schlug er sie. Der Engel ging nochmals ein Stück weiter und suchte eine Stelle, an der man weder nach rechts noch nach links ausweichen konnte. Als die Eselin ihn sah, legte sie sich hin. Bileam wurde vom Zorn gepackt und schlug mit dem Stock auf sie ein. Da gab der Herr der Eselin die Fähigkeit zu sprechen (was ihren Reiter nicht sonderlich zu verwundern scheint), und sie sagte zu Bileam: »Du hast mich jetzt schon dreimal geschlagen. Was habe ich dir denn getan?«

»Zum Narren hältst du mich!« schrie Bileam. »Wenn ich ein Schwert hätte, wäre es schon längst um dich geschehen.«

Die Eselin sagte: »Schon so lange reitest du nun auf mir und kennst mich genau. Warst du bisher je unzufrieden mit mir?«

»Nein, nie«, antwortete Bileam. Da öffnete der Herr ihm die Augen, und er sah den Engel mit dem Schwert mitten auf dem Weg stehen. Bileam warf sich vor ihm zu Boden.

»Warum hast du deine Eselin nun schon dreimal geschlagen?« fragte ihn der Engel des Herrn. »Ich selbst habe mich dir entgegengestellt, weil du auf einem verkehrten Weg bist. Aber deine Eselin hat mich gesehen und ist dreimal vor mir ausgewichen. Du verdankst ihr dein Leben, denn wenn du weitergeritten wärst, hätte ich dich getötet; nur sie hätte ich verschont.«

»Ich habe Unrecht getan«, sagte Bileam. »Ich habe nicht gewußt, daß du dich mir in den Weg gestellt hattest. Ich werde sofort umkehren, wenn du mit dieser Reise nicht einverstanden bist.«

»Geh ruhig mit diesen Männern«, sagte der Engel. Aber du darfst nur sagen, was ich dir auftrage«. So folgte Bileam weiter den Abgesandten König Balaks« (4. Mose 22, 21-35).

Soweit also das älteste Verkehrserlebnis mit einem Engel. Eigentlich wollte in diesem Fall der Engel dem menschlichen Verkehrsteilnehmer den Tod bringen, doch die Intelligenz des Verkehrsmittels hat das verhindert.

In den folgenden Erlebnissen aus heutiger Zeit ist es umgekehrt. Engel schützen vor lebensbedrohenden Verkehrsmitteln.

Ursula L. aus Mackenrodt hat letztes Jahr dabei eher Unspektakuläres erlebt:

Handarbeit

Meine elfjährige Tochter und ich kamen mit dem Auto aus der Stadt. Nachdem wir die Stadtgrenze hinter uns gelassen hatten, gab ich wie gewöhnlich Gas. Ein ganzes Stück vor uns fuhr ein Auto, das ebenfalls beschleunigt hatte. Ich beachtete es aber nicht weiter, weil meine ganze Aufmerksamkeit auf einen Mann gelenkt wurde, der am rechten Straßenrand winkte, um mitgenommen zu werden.

Ich sagte gerade zu meiner Tochter, daß ich grundsätzlich keine Anhalter mitnehmen würde, es sei viel zu gefährlich. Da bremste völlig unerwartet das Auto vor mir, und ich raste unaufhaltsam darauf zu. In Gedanken hörte ich es schon krachen, denn Zeit zum Bremsen war keine mehr.

Da griff meine kleine Tochter unverhofft in das Lenkrad, und mein Wagen machte eine elegante Kurve links um den stehenden Wagen herum und wieder auf die rechte Fahrbahnseite zurück. Mit normalen Sinnen ist so etwas nicht zu begreifen:
1. Meine Tochter hatte zuvor nie etwas derartiges getan.

2. Diese Reaktion war eigentlich gar nicht möglich, weil keine Zeit und keine Voraussetzung mehr dazu gegeben war.

3. Das Auto hätte normalerweise schleudern müssen, bei zwei solch abrupten Richtungsänderungen. Doch es fuhr sicher wie auf Schienen, als ob nichts geschehen sei.

Meine feste Überzeugung war und ist, daß hier ein Engel die Hände meiner kleinen Tochter benutzt hat, um uns vor einem schrecklichen Unfall zu bewahren. Jesus hat seinem Boten im richtigen Augenblick den rechten Befehl gegeben und uns so wunderbar beschützt.

Möglicherweise war es ein Arm, der Otto J. aus Burgbernheim das Leben rettete. Was er berichtet, ereignete sich vor einigen Jahrzehnten in seiner früheren Heimat, dem Ruhrgebiet:

Die Drucksache

Wie immer fuhr ich morgens früh zu meiner Arbeitsstelle, einem großen Chemiewerk in Gelsenkirchen-Buer-Scholven. Von Buer bis Scholven fuhr ein Linienbus, der stets am rechten Straßenrand der vielbefahrenen Hauptstraße hielt. Ich war nun am besagten Morgen der erste, der ausstieg, wollte vor dem Bus die Straße überqueren und lief los. Es war im Spätherbst, und es nieselte wie so oft. Als ich beim Überqueren der Straße auf der Hälfte angelangt war, kam von links mit großer Geschwindigkeit ein schwerer Lastzug, der dazu ansetzte, den stehenden Bus zu überholen. Ich stand mitten auf der Fahrbahn und konnte – vor Überraschung gebannt – keinen Schritt vor- oder zurückgehen. Einige Passanten und Businsassen schrien schon. Und mit einem Mal spürte ich ganz deutlich das Gefühl, als würde jemand seinen Arm gegen meine Brust drücken und mich so von der Straße befördern. Im selben Augenblick raste der Lastzug an mir vorbei. Von denen, die das Geschehen beobachteten, war ein lautes Aufatmen zu hören.

Vom nächsten Tag an mußte der Bus bis vor das Werkstor fahren. Erst dort durften die Fahrgäste aussteigen.

Für mich war es der deutlich spürbare Arm eines Engels, der mich berührte und zurückdrückte, und keine Macht der Welt kann mir diese Gewißheit rauben.

Den ganzen »Körpereinsatz« eines Engels bedurfte es, um Magarethe G. aus Kiel das Leben zu retten:

Überraschung am Mittelstreifen

Damals, 1981, bin ich zu der Überzeugung gekommen, daß ich mich wieder zum Glauben an Christus bekehren müßte. Getauft war ich zwar, aber nicht konfirmiert und dann mit neunzehn Jahren aus der Kirche ausgetreten. Nun war ich mit einer Reisegruppe ins Altmühltal gefahren. Täglich hatte ich morgens in der katholischen Kirche von Beilgries, unserem Standort, um einen unfallfreien Tagesverlauf gebetet. Dabei dachte ich allerdings mehr an die ganze Gruppe als an mich allein.

Am 14. August war ich nun von Beilngries durch den Wald gewandert und durch das Dorf Pfraundorf gekommen und wollte die Landstraße überqueren. Drüben auf der anderen Seite der Landstraße setzte sich der Weg fort zur Kratzmühle. Dort wollte ich wieder zu meiner Gruppe stoßen. Es war nachmittags, so gegen 16.00 Uhr. Von meinem damaligen Standort aus hatte die Straße links eine Biegung und war sehr unübersichtlich, rechts ging sie weiter geradeaus. Von links kam nun ein Pulk Autos, die sich gegenseitig überholten und vorbeirasten.

Klein wie ein Punkt kam von rechts ein einzelnes Auto in meine Richtung gefahren. Ich meinte nun, vor diesem noch so fernen Auto leicht über die Landstraße kommen zu können, und ging los. Dabei fürchtete ich ständig, daß von links wieder Fahrzeuge kämen. Nach links schauend, ging ich bis zur Mitte der Straße. Als ich den weißen Mittelstreifen erreicht hatte, wurde ich an beiden Oberarmen leicht angetippt. Das nahm ich einfach nicht zur Kenntnis, denn es war ja niemand zu sehen. Dann fühlte ich mich von Händen festgehalten. Ich stemmte mich dagegen, denn ich wollte nicht mitten auf der Straße stehenbleiben. Und als ich meine ganze Kraft einsetzte, muß sich dieses Wesen – so möchte ich es umschreiben – direkt vor mich gestellt haben. Ich sah für Augenblicke die Gestalt eines Menschen, größer als ich. In diesem Augenblick, als ich vor mich schaute, erschrak ich. Der eben noch so ferne Personenwagen raste an mir vorbei, und im selben Augenblick war die Gestalt verschwunden. Ich spürte noch den Sog des vorbeirasenden Autos. Wäre ich nicht aufgehalten worden, hätte ich genau vor dem Kühler des Autos gestanden.

Das alles geschah in wenigen Sekunden. Ich war zutiefst erschrocken und konnte nicht begreifen, daß andere Menschen tödlich verunglücken, und ausgerechnet ich sollte bewahrt bleiben. Vielleicht wollte Gott mir noch eine Chance geben, denn daß die Hilfe von Gott gekommen war, das war für mich sicher.

Was das Überqueren von Straßen betrifft, so scheinen Engel hier wirklich alle Hände voll zu tun zu haben. Wir Erwachsenen lassen wohl kaum eine Gelegenheit aus, Kinder diesbezüglich zur Vorsicht zu mahnen, aber wer hat schon immer die eigene Gefährdung vor Augen?

Anneliese B. aus Mönchengladbach hatte ebenfalls ein einschneidendes Verkehrserlebnis:

Die »Anhalterin«

1968 verbrachten mein Sohn Reinhard und ich unsere Sommerferien bei meiner Schwester und meinem Schwager in Heemstede/Holland. Wir hatten herrliches Wetter und konnten fast jeden Tag in Zandvoort am Strand verbringen. Eine Grachten- und Hafenrundfahrt in Amsterdam war auch geplant. So fuhren wir dann, meine Schwester, mein Sohn und ich, an einem nicht so sonnigen Tag in die Großstadt.

Nach einem erlebnisreichen Nachmittag schlenderte wir dann durch Grünanlagen mit wunderschönen Blumenbeeten wieder dem Bahnhof zu. Meine Schwester und Reinhard hatten sich an den Händen gefaßt, ich ging links von ihnen.

Doch plötzlich blieben die beiden stehen. Ich sah keinen Grund dafür und wollte weitergehen. Als ich mich nach rechts wendete und zu meiner Schwester schaute, sah ich, daß hinter ihr eine Frau stand, die ihren Arm um deren Hals gelegt hatte. Deshalb blieb ich nun auch stehen und erwartete eine fröhliche Begrüßung. Aber in dieser Hinsicht geschah nichts. Statt dessen fuhr eine Straßenbahn haarscharf von links an mir vorbei.

Ich hatte sie weder kommen sehen noch gehört und dort auch überhaupt nicht vermutet. Als die Straßenbahn vorbeigerauscht war, gingen meine Schwester und mein Sohn weiter. Ich blieb verblüfft stehen, um nach dieser Frau Ausschau zu halten, konnte sie aber nirgends entdecken, obwohl überhaupt nicht viele Menschen da waren. Hinter den beiden herlaufend, fragte ich meine Schwester: »Wer war denn die Frau, die da gerade ihren Arm um deinen Hals gelegt hat?«

»Mir hat doch niemand den Arm um den Hals gelegt, das hätte ich doch gemerkt«, antwortete meine Schwester. Ich konnte mich gar nicht beruhigen und sagte immer wieder: »Aber ich hab' sie doch genau gesehen, deshalb bin ich doch stehengeblieben. Wenn diese Frau nicht meine Aufmerksamkeit erregt hätte, indem sie ihren Arm von hinten um deinen Hals gelegt hat, wär' ich mit Sicherheit weitergegangen und unter die Räder der Straßenbahn gekommen. Ich könnte jetzt tot sein oder zumindest schwer verletzt.«

Als ich mich abends ins Bett legte mit meinen gesunden Gliedern, wurde es mir endlich klar: Das war ein Engel! Wie war ich Gott dankbar für diese wunderbare Bewahrung.

So ähnlich diese letzten drei Erlebnisse am Straßenrand waren, so sehr ähneln sich im Grundzug auch die nächsten drei. Anfang 1996 bat ich Hertha-Maria Haselmann, mir ihr Erlebnis zu erzählen. Sie ist Mitbegründerin und Leiterin von Lebenswende e.V., eines Zentrums für Seelsorge und Diakonie in Frankfurt am Main. Es ist ein Anlaufpunkt besonders für Drogenabhängige. Frau Haselmann ist außerdem Mitglied im Hauptvorstand und im geschäftsführenden Vorstand der Deutschen Evangelischen Allianz. Sie berichtet:

Schnell wie die Feuerwehr

Ich bin kein religiöser Typ, wurde auch nicht religiös erzogen. Kindergeschichten vom lieben Jesulein und den beschützenden Engeln wurden mir im Elternhaus nicht erzählt. Im Gegenteil: Uns Kindern wurde sehr die Realität des Lebens auf dieser Erde beigebracht und der Umgang damit vorgelebt. Engel hatten da keinen Platz.

Seit mehr als 25 Jahren treten allerdings Realitäten in mein Leben ein, die nicht nur erdgebunden sind. Ich fand zum Glauben an Jesus Christus (für einen Menschen mit einem jüdischen Hintergrund nicht gerade an der Tagesordnung) und begann 1971 mit Sr. Christa Steffens und zwei jungen Männern in der Landeskirchlichen Lydiagemeinde eine Teestubenarbeit in Frankfurt. Das war ein Ort, an dem sich – zumindest äußerlich gesehen – keine Engel niederließen, sondern »Gestrandete« von sonstwoher: Penner, Prostituierte, Alkoholiker, Spieler, Drogensüchtige. Also keine Lichterwelt, sondern Dunkelheit. Der einzige Lichtblick, so sagten es diese uns ans Herz gewachsenen Menschen, seien die wöchentlichen Teestubenabende.

Wie immer endete an einem Winterabend 1975 unsere Teestube mit eher gebrüllten christlichen Liedern und einem Schlußgebet. Danach räumten wir Mitarbeiter die Teestube auf und putzten den Raum so richtig durch, damit die sichtbaren und riechbaren Spuren »unserer Freunde« verschwanden. Das war oberste Verpflichtung, da am Sonntagmorgen der Kindergottesdienst in diesem Raum stattfand, wo sich abends vorher die Menschen der Straße aufgehalten hatten, um ihren Gottesdienst zu feiern.

Nach dem Teestubenabend blieben wir Mitarbeiter noch eine Weile zusammen zum Austausch und zum Gebet. Meist war es üblich, daß wir erst gegen 1.00 Uhr nachts auseinandergingen. Ich hatte es eigentlich nicht sehr weit bis zu meiner Wohnung, etwa fünfzehn Minuten Fußweg. Doch da es öfter spät wurde, und es auch nachts sehr kalt war, fuhr ich hin und wieder mit meinem Auto. So auch an diesem Dezemberwochenende. Ich stieg also in den Wagen und bog links in die Mercatorstraße ein. Wie immer war die Straße um diese Zeit menschenleer. Vereinzelt brannte noch Licht in den Wohnungen, ein Fenster der Polizeiwache war auch erleuchtet. Ich habe mich über diese Polizeistation gefreut, war sie doch für unsere Gemeinde und die Teestube, für die Mitarbeiter ein Schutz. In dieser Nacht war es sehr kalt. Dann ist der Himmel über Frankfurt besonders bezaubernd: Die Sterne funkeln so richtig vom klaren dunklen Himmel herunter. Das sind »Bethlehemsnächte«.

Ich war vielleicht fünfunddreißig bis vierzig Meter gefahren, als ich vor der Windschutzscheibe plötzlich und ohne Vorwarnung nur noch Feuer sah. Durch den Fahrtwind schlugen die Flammen, die vorne aus dem Motorraum kamen, längs die Seitenscheiben. Zuerst war ich wie erstarrt, dachte sofort an meine Handtasche mit all den Papieren, die auf dem Rücksitz rechts in der Ecke lag. Ich hielt an, versuchte sie noch zu schnappen, doch das Feuer wurde mehr und mehr. Ich konnte nur noch schnell aus dem Wagen springen.

Jetzt erst wurde mir bewußt, wie groß die Gefahr war, denn mein Auto mit den sich immer schneller ausbreitenden Flammen stand neben mehreren parkenden Wagen. So schoß mir nur der eine Gedanke durch den Kopf: Wenn jetzt die Flammen überspringen, geschieht ein großes Unglück. Und weit und breit war kein Mensch zu sehen, der mir hätte helfen können. Die vereinzelt erhellten Fenster schienen plötzlich alle dunkel zu sein, und auch das kleine, hell erleuchtete Fenster der Polizeiwache war nicht mehr zu sehen. Ich schrie laut um Hilfe. Doch niemand schien wach zu sein, es war alles stockdunkel, sehr kalt, nur der schöne Winterhimmel mit den Sternen schien sich nicht verändert zu haben. Was bleibt in so einem Moment? Das Gebet zum himmlischen Vater. Doch trotz des Gebets loderte das Feuer weiter.

In diesem Moment hielt wie aus »heiterem Himmel« plötzlich ein Auto neben mir (ich weiß heute beim besten Willen nicht mehr, welcher Autotyp es war), und es sprang ein junger Mann heraus. Er war gut gekleidet, trug Anzug, Krawatte, einen Wintermantel und schöne saubere Schuhe. Er war zwischen 25 und 30 Jahre alt, mittelblond und hatte für diese Zeit der siebziger Jahre einen auffallend kurzen Haarschnitt. Sehr bedeutsam war für mich sein Gesicht, ohne es exakt beschreiben zu können. Es wirkte sehr glatt und hatte irgendwie eine klare Ausstrahlung. Fast leuchtend war der Gesichtsausdruck. Sein plötzliches Dasein wirkte sehr beruhigend. Doch es sollte nur von kurzer Dauer sein. Er rief mir zu: »Gehen Sie weg vom Auto! Ich erledige das.« Ehe ich mich umsehen konnte, hatte er einen Feuerlöscher in der Hand und löschte damit die Flammen. Das alles geschah in Sekunden. Ich langte kurz in den Wagen und holte die Handtasche heraus, kramte darin nach Geld, um mich meinem Helfer erkenntlich zu zeigen. Als ich dabei aufblickte, war der Mann samt seinem Auto verschwunden – innerhalb weniger Augenblicke. Wie leergefegt war die Straße. Es war alles wie vor den Flammen: Ein paar Lichter brannten in den Wohnungen, und auch auf der Polizeiwache war wieder ein Fenster erleuchtet. Aber niemand hatte meine Hilfeschreie gehört, die Flammen mitbekommen oder den Mann mit dem Auto gesehen.

Und mein Wagen? Er hatte nur einige wenige Brandspuren, sonst nichts. Rückstände des Löschmittels waren bei der anschließenden Untersuchung noch erkennbar. Ich fragte mich: Wer ist dieser Mann gewesen? Und wer würde mir diese Geschichte glauben, diese Realität meines Lebens? Wem konnte ich sie überhaupt erzählen? Sr. Christa! Ich ging zurück zur Lydiagemeinde (sie wohnte dort während ihrer Teestubenzeit), warf einen Stein gegen ihr Fenster in der Hochparterre. Sie öffnete ihr Fenster, und ich flüsterte ihr in kurzen Worten zu, was vor ein paar Minuten in nur wenigen Sekunden nicht weit von ihrem Fenster geschehen war. Wir kamen darauf: Das muß ein Engel gewesen sein. Ich glaube bis heute, daß es ein Engel gewesen ist – ein Engel in Anzug, Krawatte, Wintermantel und mit einem Feuerlöscher.

Heute noch, mehr als zwanzig Jahre später, danke ich meinem Gott und seinem Engel für die Bewahrung in jener Dezembernacht 1975. Darf ich doch seitdem gesund und munter miterleben, wie Gott aus der kleinen Teestubenarbeit eine umfangreiche Drogenarbeit entstehen ließ: Haus Metanoia und Haus Falkenstein in Frankfurt sowie Haus Dynamis in Hamburg. Gott hat bis heute seine Engel schützend um die »Lebenswende« gestellt.

Ich habe mir die Frage gestellt, ob diese umfangreiche Arbeit überhaupt hätte entstehen können, wenn Hertha-Maria Haselmann damals etwas Schlimmes zugestoßen wäre. Hierbei handelt es sich übrigens um die detaillierteste Beschreibung eines himmlischen Helfers.

Das nächste Erlebnis vom Straßenrand schickte eine Frau, die ungenannt bleiben möchte:

Willkommene Schieber

Fritz H. war mal wieder mit seiner Frau für einige Tage in seiner alten Heimat gewesen. Wegen einer dringenden Angelegenheit wollte er jedoch am späten Abend trotz winterlicher Straßenverhältnisse mit dem Auto die Heimreise wagen. Alle Angehörigen und auch seine Gattin rieten ihm ab. Dennoch riskierte er, gewappnet mit seinem allseits bekannten Gottvertrauen, die etwa 150 Kilometer weite Heimreise.

Er hatte etwa die Hälfte der Strecke zurückgelegt, als er in finsterer Nacht durch einen Wald fuhr. Plötzlich rutschte er von der glatten Fahrbahn ab und landete im Graben. Dieser Graben war so tief, daß alle Versuche, das Fahrzeug wieder flottzubekommen, vergebens waren. Und bei diesem Wetter und um diese Zeit auf andere Verkehrsteilnehmer zu hoffen, war fast aussichtslos.

Urplötzlich aber standen zwei Männer neben Fritz und fragten, ob sie ihm nicht behilflich sein könnten. Das war natürlich Rettung aus auswegloser Situation. Und nach kurzer Zeit stand der Wagen tatsächlich wieder sicher auf der Straße. Als Fritz sich freudig nach seinen beiden Helfern umdrehte, um sich zu bedanken, konnte er jedoch weit und breit keinen Menschen mehr erblicken.

Manchmal hat es den Anschein, als seien die Situationen, in denen die guten Mächte Gottes helfend eingreifen, zu banal. Direkte Lebensgefahr scheint oftmals für den, dem geholfen wird, nicht zu bestehen. Allerdings stellt sich dem Betroffenen wie dem Leser nur ein Ausschnitt der Ereignisse dar, die in ihrer Abfolge möglicherweise doch gravierende negative Auswirkungen für Leib und Seele gehabt hätten, wenn nicht eingegriffen worden wäre.

Eine Missionarin berichtete folgendes Erlebnis:

Reifenwechsel in Afrika

Vor ein paar Jahren war ich als Missionarin in Afrika. Ich bin Krankenschwester und arbeitete damals bei einem Programm für mobile, medizinische Hilfe. Eigentlich waren wir meistens im Team unterwegs. Aber an einem Tag saß ich ganz allein im Landrover und fuhr über eine Holperstraße, die durch eine weite Savannenlandschaft führte.

Plötzlich knallte es, und ich merkte, daß ein Reifen geplatzt war. Ich hielt an und schaute mich um. Ich konnte kilometerweit sehen. Kein Mensch war da. Na gut, dachte ich, dann muß ich eben den Reifen selber wechseln. Aber ich schaffte es nicht. Die

Radmuttern waren zu fest angedreht, vielleicht waren sie auch verrostet. Allmählich bekam ich es mit der Angst zu tun.

Plötzlich tauchte ein Mann neben mir auf. Er sagte kein Wort, nahm mir den Kreuzschlüssel aus der Hand, löste die Schrauben, und wechselte den Reifen. Dann nickte er und ging weg. Ich war noch so perplex, daß ich ihm nicht gleich nachschaute. Als ich mich dann nach ein paar Sekunden berappelt hatte, blickte ich mich um, aber er war verschwunden, und es gab keinen Berg oder Baum, der ihm Gelegenheit geboten hätte, sich verstecken zu können.

Na ja, ich stieg ins Auto und fuhr auf unsere Station zurück. Erst abends kam mir der Gedanke, ob das vielleicht ein Engel gewesen sein könnte? Ein Engel mit praktischen Fähigkeiten? Merkwürdigerweise kann ich mich nicht erinnern, ob der Mann dunkle oder helle Haut hatte, ob er ein Europäer oder ein Afrikaner war.

Als ich vor einigen Jahren bei Freunden zu Besuch war, kamen wir irgendwann auch auf Erlebnisse zu sprechen, die Menschen mit den Boten Gottes hatten. Zu meinem Erstaunen erzählten mir die Gastgeber dann etwas aus ihrem eigenen Erleben, das für sie bis heute im wahrsten Sinne des Wortes merk-würdig geblieben ist. Deshalb bat ich Anne S. aus Waldbröl, die folgende Geschichte veröffentlichen zu dürfen.

An-halter der besonderen Art

Im Jahr 1980, also zu einer Zeit, in der der »Eiserne Vorhang« noch existierte und nicht einmal Löcher hatte, fuhren wir zu vier jungen Christen mit einem Wohnmobil in den Ostblock, nach Rumänien. Zweck der Reise waren aber keineswegs die auch damals schon für einige Westeuropäer attraktiven Feriengebiete in den Karpaten oder am Schwarzen Meer. Nein, unser Wohnmobil war vollgepackt mit Bibeln und christlicher Literatur in rumänischer Sprache. Die religionsfeindliche Politik des Ceausescu-Regimes hatte die Christen des Landes weitgehend von entsprechender Literatur abgeschnitten. Doch die Nachfrage war groß wie nie. Also entschlossen wir uns zu der abenteuerlichen Fahrt.

Wir hatten nicht nur die günstigste Fahrtroute ausgewählt und uns mit den notwendigen Dingen einer solchen Reise ausgestattet – vor allem hatten wir diese Aktion im Gebet vorbereitet und uns auch der Fürbitte anderer Christen versichert. Immerhin war es zur damaligen Zeit strikt verboten, christliche Schriften jeder Art in das kommunistische Land einzuführen. Von Zeit zu Zeit war es vorgekommen, daß »Schmuggler Gottes« erwischt und inhaftiert worden waren. Darum galt es, möglichst unauffällig im Land zu reisen und Aufsehen jeder Art zu vermeiden.

Wie wichtig gerade die Vorbereitung und Begleitung durch das Gebet war, sollten wir zuerst an der Grenze zwischen Ungarn und Rumänien merken. Wir waren die einzigen, die passieren wollten, und entsprechend viel Zeit hatten die Grenzbeamten, unser Fahrzeug in Augenschein zu nehmen. Nachdem sie alles gründlich untersucht hatten, begannen sie, die Innenverkleidung abzuklopfen. Der Klang machte sie stutzig. Womöglich ahnten sie, daß sich dahinter mehrere Zentner Bücher stapelten. Währenddessen saß ich, bis zum Zerreißen angespannt, Stoßgebete gen Himmel schickend und strickend, um äußerlich Gelassenheit zu demonstrieren, auf dem Beifahrersitz. Im Innenspiegel beobachtete ich, daß einer der Beamten seinem Kollegen bedeutete, einen Bohrer zu holen, um der Sache auf den Grund zu gehen. Beide entfernten sich. Kurz darauf kamen sie wieder. Doch was sah ich da im Außenspiegel? Plötzlich, innerhalb von vielleicht einer Minute, war hinter uns eine lange Schlange von Autos, die abgefertigt werden mußte. Die Grenzbeamten kamen nur noch, um uns zu sagen, daß wir weiterfahren konnten.

Nun galt es, den ausgemachten Treffpunkt unserer Kontaktpersonen in einem kleinen Dorf in Siebenbürgen anzusteuern. Kurz vor Erreichen des Ziels mußten die in den Hohlräumen der Karosserie verstauten Bücher hervorgeholt und in Plastiksäcke verstaut werden. Zwei der mitgereisten jungen Männer stiegen vor dem Dorf aus, um zu Fuß und somit unauffällig unsere Ansprechpartner aufzusuchen. Mein Mann und ich starteten wieder, da unsere rollende Pension mit Sicherheit aufgefallen wäre. Außerdem hatten wir bis zur vereinbarten Übergabe Zeit genug.

Wir hatten das Dorf schon weit hinter uns gelassen. Weil es inzwischen zu regnen begonnen hatte, fuhr mein Mann mit angepaßter Geschwindigkeit durch eine schöne und, wie's schien, einsame Landschaft. Weit und breit war kein Mensch zu sehen, bis zu jenem Augenblick: Unverhofft standen am rechten Fahrbahnrand zwei alte Leute, ein Mann und eine Frau. Durch heftige Handzeichen gaben sie uns zu verstehen, langsam zu fahren oder anzuhalten. Mein Mann trat sofort auf die Bremse, konnte das Wohnmobil aber vor der nächsten Kurve nicht vollends zum Stehen bringen. Als wir um diese Biegung fuhren, erkannten wir den Grund für die Warnung.

Von rechts kommend, ergoß sich eine Wasserflut über die Fahrbahn, die an der linken Straßenseite eine Böschung hinunterschoß. Mein Mann konnte gerade noch verhindern, daß der Wagen ins Schleudern geriet, und fuhr extrem langsam weiter. Bei der vorherigen Geschwindigkeit hätten wir ohne Zweifel nähere Bekanntschaft mit der Böschung gemacht. Ein Unfall dieser Art hätte garantiert auch die Bekanntschaft einer Polizeistreife mit sich gebracht, und unsere Aktion wäre wohl aufgeflogen. Erschrocken, ja schockiert fuhren wir ganz langsam einige hundert Meter weiter und drehten dann um. Und dann machten wir einige, bis heute seltsam gebliebene Beobachtungen. Erstens: Der gerade noch reißende Sturzbach war nur noch ein ungefährliches Rinnsal. Und zweitens: Als wir wieder um die Kurve bogen, war von dem Mann und der Frau keine Spur mehr zu sehen, und das, obwohl die ganze nähere Umgebung zu überblicken und die freundliche Warnung der beiden erst ein paar Minuten vorher gewesen war. Anders gesagt: Wir hätten sie unbedingt sehen müssen. Aber halt: Was war das? Genau an der Stelle, an der die beiden gestanden hatten, erblickten wir jetzt etwas, das wir vorher nicht gesehen hatten – da stand ein mannshohes Holzkreuz.

Wir waren tief berührt von dieser Bewahrung – für uns ein Fingerzeig Gottes.

Als wir dann versuchten, uns an die beiden alten Menschen zu erinnern, fiel uns nur noch ein, daß beide dunkel gekleidet waren und faltige Gesichter hatten. Ob uns Gott da zwei seiner Engel geschickt hat? Es spricht einiges dafür.

Der Rest unserer Rumänienreise verlief ohne größere Schwierigkeiten. Wir vier fragen uns bis heute, was Gott alles bewirkt hat durch die Tatsache, daß die geistliche Literatur weitergeleitet und verteilt werden konnte.

Das folgende, wahrhaft erhebende Ereignis passierte in Mittelhessen. Der Berichterstatter möchte namentlich nicht in Erscheinung treten. Sein Name und die Anschrift sind uns bekannt. Er hatte als Laienprediger einen Gottesdienst in einer auswärtigen Dorfgemeinde in Hessen gehalten. Da es in dieser christlichen Gemeinde zu weitreichenden Spannungen zwischen einzelnen Gemeindegliedern gekommen war, hatte er gleichzeitig den Auftrag, mit den Betroffenen zu sprechen. Leider hatte dieses geistliche Gespäch zu keinem Ergebnis geführt. Dann geschah folgendes:

Vorsehung an den Bahnsteigkante

Noch ganz in Gedanken versunken, ging ich zum Bahnhof, um nach Hause zu fahren.

Beim Fahrkartenschalter traf ich sonst meistens einen Bruder, mit dem ich gemeinsam gelegentlich Dienst bei Allianzveranstaltungen tat. Doch dieses Mal sah ich ihn nicht. Immer noch ganz in Gedanken bei dieser notvollen Situation, ging ich auf den Bahnsteig des kleinen Dorfbahnhofs. Dieser Bahnhof an einer Nebenstrecke hatte zwei Gleise, einen befestigten Bahnsteig, einen mit Schotter und Schwellen befestigten Übergang, ebenerdig mit den Schienen zum anderen Gleis. Dort war der Bahnsteig nicht befestigt.

Ich hatte noch etwas Zeit und ging daher, versunken in die ungelöste Problematik, auf dem befestigten Bahnsteig auf und ab. Als es Zeit war, daß der Zug kommen mußte, wollte ich auf den unbefestigten Bahnsteig gegenüber. Da ich aber zu weit vom Übergang entfernt war, wollte ich einfach über die Schienen gehen. Dabei hatte ich nicht daran gedacht, daß der gegenüberliegende Bahnsteig ja der falsche zur Heimfahrt war. Auf ihm war ich am Morgen angekommen. Ich stand also bereits auf dem richtigen Bahnsteig, auf dem der Zug zur Heimfahrt einfahren sollte. Doch ich nahm dies nicht zur Kenntnis.

Als ich vom Bahnsteig runtersteigen und über das Gleis gehen wollte, faßte mich einer an den Schultern und stellte mich wieder zurück auf den Bahnsteig. Mein erster Gedanke war, der Bruder, den ich im Bahnhofsgebäude wähnte, wäre doch da und hätte mich hochgezogen. Ich schaute mich um – niemand war da. Fast ärgerlich stieg ich sofort wieder runter, und wieder faßte mich einer und stellte mich ganz hart zurück auf den Bahnsteig. In diesem Moment fuhr der Zug ein. Er hätte mich sicher überfahren, wenn ich nicht von unsichtbarer Hand zurückgezogen worden wäre. Den Schmerz zwischen den Schultern habe ich noch Tage gespürt, ohne daß etwas zu sehen war.

Ortswechsel: Einem deutschen Pastor, der es sich in seinem Ruhestand zur Aufgabe gemacht hat, regelmäßige Schulungen für Prediger in der Ukraine durchzuführen, wurde dort eine Begebenheit erzählt, die mich sehr stark an das vorige Ereignis erinnert hat. Der Rahmen der Handlung ist jedoch bei weitem gefährlicher, ja, tödlich.

Zum Hintergrund: Ende Dezember 1979 marschierten sowjetische Truppen in das Nachbarland Afghanistan ein, angeblich aufgrund eines Hilfeersuchens der regierenden kommunistisch orientierten Demokratischen Volkspartei. Diese hatte zuvor jegliche Opposition niederzuschlagen versucht und zahlreiche Dörfer bombardiert. Es war zum Bürgerkrieg gekommen. Mit Hilfe der Roten Armee wollte Moskau nicht nur dem bedrängten kommunistischen Regime zur Seite stehen, sondern gleichzeitig seinen Einflußbereich nach Süden, Richtung Iran und persischem Golf ausdehnen. Im Verlauf der Auseinandersetzungen konnten jedoch die Widerstandsgruppen der Mudschaheddin (Kämpfer für den islamischen Glauben) über einen Zeitraum etlicher Jahre ihre militärische Position immer weiter festigen und den Soldaten der Roten Armee teilweise schwerste Verluste beibringen. Dies war ein entscheidender Grund dafür, daß die Sowjettruppen sich bis Februar 1989 aus Afghanistan zurückzogen. Das folgende Erlebnis ereignete sich im Jahr 1986.

Magnetische Kraft

Auf einer Patrouille geriet ein Spähtrupp der Sowjetarmee in einen Hinterhalt der Mudschaheddin. Die gesamte Gruppe war gezwungen sich zu ergeben, da die Übermacht des Feindes zu groß und Gegenwehr zwecklos war. Die afghanischen Kämpfer für die Befreiung, bekannt für ihre Grausamkeit, machten kurzen Prozeß. Alle Gefangenen wurden in eine Reihe gestellt und nacheinander erschossen.

Erst beim letzten, dem mit etwa zwanzig Jahren jüngsten Soldaten dieses Spähtrupps, hielt man inne mit den Worten: »Nein, du nicht. Mit dir machen wir etwas ganz Besonderes.« Daraufhin wurden seine Hände am Körper gefesselt, und man grub ihn bis zum Kinn in die Erde ein. Daraufhin entfernten sich die Rebellen, um den jungen Soldaten dem sicheren und qualvollen Tod zu überlassen. Mit Sicherheit würde er in der glühenden Sonne verdursten. Das Eingraben des Körpers hatte außerdem eine Beeinträchtigung der Atemfunktion zur Folge und äußerste psychische Belastung.

Nach einiger Zeit begann der junge Mann um Hilfe zu rufen – zwecklos, niemand schien ihn zu hören. In seiner Verzweiflung erinnerte er sich dann plötzlich an seinen Großvater, der Christ war. Er selber war vollkommen atheistisch erzogen worden, aber in seiner ausweglosen Situation griff er nach jedem Strohhalm.

Und dann betete er, nein, er schrie: »Gott, wenn es dich, zu dem mein Großvater betet, gibt, und wenn du so bist, wie mein Großvater immer sagt, dann hilf mir.« Er hatte kaum diesen Satz herausgeschrien, da passierte etwas, das sein ganzes zukünftiges Leben verändern sollte. Wie von einer magnetischen Kraft wurde sein Körper aus der Erde gezogen, hochgehoben und auf den Boden gestellt. Nach wie vor war weit und breit kein Mensch zu sehen. Er verlor keine Zeit, rannte zu seiner Einheit zurück und erzählte, was geschehen war. Niemand schien ihm zu glauben. Kurz darauf war seine Militärzeit beendet, und er durfte zurück in seine ukrainische Heimat.

Dort angekommen und noch immer tief ergriffen von dem, was ihm in seiner tödlichen Situation passiert war, wurde er Christ. Und er machte gleich Nägel mit Köpfen: Er ließ sich taufen und absolvierte ein Priesterseminar der russisch-orthodoxen Kirche. Inzwischen versieht er mit großem Erfolg sein Priesteramt in einer Nachbarstadt der ukrainischen Hauptstadt Kiew. Er hat bis heute keinen Zweifel daran, daß es sich bei seinem Lebensretter um einen »Soldaten« der Himmlischen Heerscharen handelte, den Gott eigens für ihn abkommandiert hat.

Immer wieder bin ich bei den Vorbereitungen zum Thema Engel auf Erlebnisse gestoßen, bei denen Mitarbeiter im hauptamtlichen Dienst für Gott auf besondere Weise geschützt wurden. Vielleicht deshalb, weil sie häufig direkt an den Brennpunkten der Auseinandersetzung zwischen Gut und Böse wirken. Ein klassisches Beispiel für die bewahrende und befreiende Funktion der Engel wird in der Apostelgeschichte geschildert (Apostelgeschichte 12, 4-17).

Der König Herodes hatte Petrus nicht nur ins Gefängnis geworfen, sondern zusätzlich in Eisen gelegt. Dort wartete er auf seine Hinrichtung. Sein Begleiter Jakobus war bereits getötet worden, und Petrus sollte das gleiche Schicksal erleiden. Die

Gemeinde betete zwar für Petrus, aber eigentlich glaubte sie nicht an seine Rettung. Folgendes wird detailliert berichtet:

»Als er ihn nun ergriffen hatte, warf er ihn ins Gefängnis und überantwortete ihn vier Wachen von je vier Soldaten, ihn zu bewachen. Denn er hatte gedacht, ihn nach dem Fest vor das Volk zu stellen. So wurde Petrus im Gefängnis festgehalten; aber die Gemeinde betete ohne Aufhören für ihn zu Gott.

Und in jener Nacht, als ihn Herodes vorführen lassen wollte, schlief Petrus zwischen zwei Soldaten, mit zwei Ketten gefesselt, und die Wachen vor der Tür bewachten das Gefängnis.

Und siehe, der Engel des Herrn kam herein, und Licht leuchtete auf in dem Raum; und er stieß Petrus in die Seite und weckte ihn und sprach: Steh schnell auf! Und die Ketten fielen ihm von seinen Händen. Und der Engel sprach zu ihm: Gürte dich und zieh deine Schuhe an! Und er tat es. Und er sprach zu ihm: Wirf deinen Mantel um und folge mir! Und er ging hinaus und folgte ihm und wußte nicht, daß ihm das wahrhaftig geschehe durch den Engel, sondern meinte, eine Erscheinung zu sehen.

Sie gingen aber durch die erste und zweite Wache und kamen zu dem eisernen Tor, das zur Stadt führt; das tat sich ihnen von selber auf. Und sie traten hinaus und gingen eine Straße weit, und alsbald verließ ihn der Engel.

Und als Petrus zu sich gekommen war, spach er: Nun weiß ich wahrhaftig, daß der Herr seinen Engel gesandt und mich aus der Hand des Herodes errettet hat und von allem, was das jüdische Volk erwartet.

Und als er sich besonnen hatte, ging er zum Haus Marias, der Mutter des Johannes mit dem Beinamen Markus, wo viele beieinander waren und beteten. Als er aber an das Hoftor klopfte, kam eine Magd mit Namen Rhode, um zu hören, wer da wäre. Und als sie die Stimme erkannte, tat sie vor Freude das Tor nicht auf, lief hinein und verkündete, Petrus stünde vor dem Tor. Sie aber sprachen zu ihr: Du bist von Sinnen. Doch sie bestand darauf, es wäre so. Da sprach sie: Es ist sein Engel. Petrus aber klopfte weiter an. Als sie nun aufmachten, sahen sie ihn und entsetzten sich.

Er aber winkte ihnen mit den Hand, daß sie schweigen sollten und erzählte ihnen, wie ihn der Herr aus dem Gefängnis geführt hatte, und sprach: Verkündet dies dem Jakobus und den Brüdern. Dann ging er hinaus und zog an einen andern Ort.«

Damals waren die Juden der Auffassung, daß jeder einen Doppelgänger in Engelsgestalt hatte. Diese These ist nicht haltbar. Doch an die tatsächliche Hilfe Gottes in auswegloser Situation zu glauben – damit taten sich schon die ersten Christen schwer.

Ich mußte schmunzeln, als ich 1989 an östereichischen Autobahnen ein besonderes Verkehrsschild sah. Abgebildet war ein Motorradfahrer in schnittiger Kurvenfahrt, dahinter ein schwebender Engel. Das Ganze war kommentiert mit der Empfehlung: »Fahr niemals schneller, als dein Schutzengel fliegen kann.« Richtig erstaunt war ich, als ich woanders las, daß manche Zeitgenossen so schnell fahren können, wie sie wollen. Sie werden zum Glück den Begleiter nicht los.

Der Pastor und Evangelist Paul Walter Schäfer, lange Jahre im Gemeindedienst und beim Volksmissionarischen Amt der Evangelischen Kirche von Hessen und Nassau, schildert in seinen Lebenserinnerungen eine Begebenheit aus der Anfangszeit seines hauptamtlichen Dienstes, zu Beginn der fünfziger Jahre, im Süden des Oberbergischen Landes (Paul Walter Schäfer, »Erinnenrungen, Erfahrungen, Erkenntnisse«, Sonnenweg-Verlag Konstanz, S. 44):

Das »Motorrad-Geständnis«

Wir hatten in jener überwiegend katholischen Gegend mit einer sehr lebendigen Jugendgruppe einen »Antikarneval« veranstaltet. Außerdem massiv gegen die Karnevalsauswüchse protestiert. Das blieb in mancherlei Hinsicht nicht ohne Folgen. So bekam ich eines Tages die Drohung, man würde mich an einen Lichtmast binden und voll Schnaps laufen lassen, erst dann hätte ich eine

Ahnung, was Alkoholmißbrauch sei. Ich nahm diese Drohung nicht so ernst, wie es meine Frau tat. Immer wenn ich abends noch fortmußte, gab sie mir den guten Rat aufzupassen. Wie sollte ich das machen? Gas geben, wenn ich jemanden bemerkte? Ich bemerkte niemanden, und die ganze Sache schien mir ein übler Scherz zu sein.

Nach Monaten kam es zu einer Begegnung am hellichten Tag und an einem sehr belebten Ort. Ich hatte also nichts zu befürchten. Die jungen Männer wollten die Sache endgültig begraben. Aber sie meinten, ich sei im Grunde genommen doch ein großer Feigling. Sie hätten mir mehrmals aufgelauert, aber immer habe ich einen Soziusfahrer auf meinem Motorrad gehabt. Sicherlich meine Frau, und an der würden sie sich nicht vergreifen.

Wie sehr ich ihnen auch versicherte, daß dies aus mancherlei Gründen nie der Fall gewesen sein könne, blieben sie dabei und meinten nun obendrein, ein angehender Pfarrer müßte es mit der Wahrheit aber genauer nehmen. Ich hatte es getan. Aber mir wäre viel daran gelegen gewesen, die ganze Wahrheit zu erfahren. Ich war doch allein gefahren und soll nicht alleine gewesen sein? Vielleicht gibt es Dinge zwischen Himmel und Erde, von denen auch angehende Pfarrer keine Ahnung haben.

Paul Walter Schäfer, der inzwischen im Ruhestand lebt, legt Wert darauf, nicht von einem Engel gesprochen zu haben, schließlich habe er selber nichts und niemanden gesehen.

Der Deutung, daß es dennoch einer war, möchte er sich jedoch nicht verschließen.

Imanuel Dauner, der bereits das Erlebnis mit seiner Tochter geschildert hat, erzählte mir eine zweite Begebenheit. Sie spielt zu einer Zeit, als sogar Motorräder noch Mangelware für Verkündiger waren:

Mein Großvater war Prediger im Schwarzwald, und in der Nähe von Dornhan hatte er eine Evangelisation. Die fand statt in einer Gaststätte. Wenn sich die Männer dort bekehrten und für Jesus entschieden, dann gingen sie nachher nicht mehr in die Wirtschaften. Das hat den Wirten gar nicht gefallen. Und so blieb es nicht aus, daß einige meinem Großvater auflauerten und ihn ernstlich schädigen wollten.

An einem Abend ging er allein nach Hause durch den Wald. Und zwei Männer, die ihm Böses tun wollten, haben ihm aufgelauert. Er wußte das nicht und hatte sich zuvor wie immer dem Schutz Gottes anbefohlen und ging durch diesen Wald.

Vierzehn Tage später erlebte er nun folgendes: Auch bei einem evangelistischen Gottesdienst kam ein Mann zu ihm, der ihn auf jenen Abend ansprach, an dem er allein durch den Wald gegangen war. Er sagte ihm, er müsse etwas beichten. Er und sein Freund hätten ihm dort übel mitspielen wollen. Sie hätten sich, mit großen Prügeln bewaffnet, hinter einer Hecke versteckt. Aber da wäre ein großer starker Mann neben ihm gelaufen, und deshalb hätten sie es nicht gewagt, ihn anzugreifen. Mein Großvater sagte: »Das kann nicht sein, ich war an jenem Abend ganz allein.« Aber er hat dann sehr schnell darüber nachgedacht, und lachend zitierte er dann den Psalm 34: »Der Engel des Herrn lagert sich um die her, die ihn fürchten.«

Der Mann war davon sehr ergriffen, und das hat auch den letzten Anstoß gegeben, daß er sein Leben der Wirklichkeit Gottes unterstellte.

Unglaublich, aber wahr. Manchmal sehen andere etwas, was man selber nicht wahrnehmen kann, das aber dennoch geschieht. Um Träume oder Halluzinationen kann es sich dabei wohl kaum handeln, weil, wie in den letzten beiden Beispielen, nicht zwei oder mehrere das gleiche träumen oder sich einbilden können.

Gerade der letzte Fall ist für mich ein Beispiel dafür, daß Engel durch ihre handfeste Hilfe am Menschen dem Geist Gottes zuarbeiten können, so daß der Heilige Geist im Menschen wirken kann.

Unterstützung der besonderen Art erfuhr auch eine Missionarin in Asien. Deren Großnichte, Ruth H. aus Fellbach, berichtet:

Bodyguard

Meine Großtante war Majorin der Heilsarmee. 50 Jahre ihres Dienstes war sie als Missionarin in Indien tätig. Das war die Zeit vor und nach der Jahrhundertwende. Ihren Ruhestand verbrachte sie im Haus meiner Großmutter, in dem ich noch heute lebe.

Sie erzählte uns, daß eines Tages der Häuptling eines Nachbardorfes sie bitten ließ, sie solle zu ihm kommen. Von Menschen, die es gut mit ihr meinten, wurde die Tante davor gewarnt hinzugehen. Es hieß, er habe viele Totenschädel seiner Gegner in der Hütte hängen. Meine Tante aber meinte: »Ich bin für den Herrn hier als Missionarin. Und wenn ich sterben sollte, so bin ich in seiner Hand. Aber wenn er will, kann er mich bewahren.«

Als die Tante dann in die Nähe des Häuptlings kam, saß er mit verschränkten Beinen vor seinem Haus. Und je näher sie ihm kam, desto mehr senkte er seinen Kopf. Einige Meter vor ihm blieb die Tante still stehen, und er redete nicht mit ihr. Nun sprach sie ihn an, er habe sie hergebeten, nun wäre sie da. Sie bat ihn darum, ihr zu sagen, aus welchem Grund. Erst jetzt sprach der Häuptling zu ihr, ohne aufzusehen. Er habe sie doch gebeten, alleine zu kommen. Doch nun seien zwei weiße Gestalten in ihrer Begleitung, die sie in die Mitte genommen hätten.

Nach kurzem Überlegen sagte meine Tante: »Ich bin allein gekommen, und ich sehe auch niemanden. Sollte jedoch mein Gott mir Engel zur Seite gegeben haben, so ist das seine Sache.« Darauf sagte der Häuptling: »Sie können gehen.«

Es gibt mehr als das Natürliche, das wir wahrnehmen können. Eine der für mich eindrucksvollsten biblischen Bestätigungen hierfür steht im 2. Buch der Könige. Dort wird berichtet, daß der König der Aramäer sein Heer losgeschickt hatte, um den Propheten Elisa unschädlich zu machen. Elisa teilte seinem Volk, dem Volk Israel nicht nur die Weisungen Gottes mit. Durch Gottes Hilfe war er außerdem in der Lage, die Kriegspläne der Aramäer gegen sein Volk vorherzusagen. Das heißt: Er konnte dem König Israels ständig sagen, wo Gefahr lauerte. Aus diesen Gründen also wollten die Aramäer den Propheten Elisa beseitigen.

Nachts umstellte das aramäische Heer die Hügel rund um die Stadt Dothan, in der sich Elisa aufhielt. Als am nächsten Morgen der Diener des Propheten aus dem Haus kam, erschrak er und rief Elisa. Der betrachtete die Lage und sagte dann:

»Fürchte die nicht, denn derer sind mehr, die bei uns sind, als derer, die bei ihnen sind! Und Elisa betete und sprach: »Herr, öffne ihm die Augen, daß er sehe! Da öffnete der Herr dem Diener die Augen, und er sah, und siehe, da war der Berg voll feuriger Rosse und Wagen um Elisa her« (2. Könige 6, 16-17).

Dieses Ereignis aus dem Alten Testament verstehe ich um so mehr, seit ich das nun folgende, letzte Beispiel kenne.

Burkhard Schöttelndreyer, stellvertretender Europa-Leiter der Wycliff-Bibelübersetzer mit Sitz in Holzhausen bei Siegen, hat mir aus der Missionsarbeit erzählt. Seine Schwester arbeitet als Übersetzerin in Süd-Amerika und hat ihm etwas fast Unglaubliches berichtet. In diesem Bericht ist von Schamanen die Rede. Schamanen sind Zauberer, Medizinmänner, also Menschen, die mit Geistern und den Seelen Verstorbener in Verbindung stehen. Soviel zum besseren Verständnis.

Kampf der Mächte

Diese Begebenheit ereignete sich am Salaqui-Fluß, einem Nebenfluß des Atrato in Nord-West-Kolumbien bei den Katio-Indianern. Und zwar war dort der Christ Aurelio mit seiner Familie angekommen und hatte sich angesiedelt. Er war bekannt als Christ, eigentlich als einziger in den ganzen Gegend.

In der Zeit lebte dort der Schamane Justiniano. Der war sehr krank, und alle anderen Schamanen in der Gegend hatten ihn aufgegeben. Sie sagten: »Du bist krank, wir können dir nicht helfen, du mußt sterben.« Zu guter Letzt ließ sich dieser Justiniano zu den Christen bringen, und er erhoffte sich dort Hilfe. Er wurde also ins Haus gebracht, und die Familie der Christen betete lange Zeit für ihn, mehrere Wochen. Und Justiniano sagte damals: »Wenn euer Gott mir helfen kann, dann will ich ihm dienen.«

Während dieses mehrwöchigen Gebetskampfes besuchte die Mutter dieses Justiniano ihn verschiedentlich. Die Mutter war auch Schamanin, und sie hatte jedesmal, wenn sie ihn besuchte, sehr viel Mühe, denn sie wurde von bösen Dämonen übel geplagt. Sie tobte dann meist im Haus und im Garten des Hauses herum.

Der Justiniano wurde nach etwa vier Wochen gesund, und er entschied sich für ein Leben mit Jesus Christus. Seine Mutter entschied sich ebenfalls für Jesus Christus. Und dann erzählte sie folgendes: Sie sah, während sie ihren Sohn besuchte, was andere nicht sehen konnten. Es geschah, daß dunkle Gestalten gegen helle Gestalten auf dem Gelände kämpften. Die hellen Gestalten waren im Haus und um das Haus herum, auf dem ganzen Grundstück. Das Grundstück war rundum eingezäunt, und hier fand wohl der eigentliche Kampf statt, denn an den Zäunen hielten sich die dunklen Gestalten auf. Aber vor allem, wenn im Haus gesungen und gebetet wurde, flüchteten diese dunkle Gestalten. So hat es die Mutter später erzählt.

Zum guten Schluß

Alle bisherigen Erlebnisse sind meines Erachtens Zeugnisse dafür, daß um uns her eine unsichtbare Welt existiert, oder lassen den Schluß zu, daß tatsächlich mehr Dinge zwischen Himmel und Erde geschehen, als wir Menschen wahrnehmen oder begreifen können. Mancher wird direkt konfrontiert mit diesem Unfaßbaren, indem er selbst auf die eine oder andere Art und Weise einbezogen wird in das Geschehen. Einige Menschen sind in der Lage, Dinge zu sehen, die andere nicht sehen können, weil ihnen für kurze Zeit Einblick gewährt wird in den für gewöhnlich unsichtbaren Teil dieser Welt.

Der Apostel Paulus analysierte und empfahl etwas, das ebenfalls vom letzten Bericht dringlich unterstützt wird: *»Zieht an die Waffenrüstung Gottes, damit ihr bestehen könnt gegen die listigen Anschläge des Teufels. Denn wir haben nicht mit Fleisch und Blut zu kämpfen, sondern mit Mächtigen und Gewaltigen, nämlich mit den Herren der Welt, die in dieser Finsternis herrschen, mit den bösen Geistern unter dem Himmel. Deshalb ergreift die Waffenrüstung Gottes, damit ihr an dem bösen Tag Widerstand leisten und alles überwinden und das Feld behalten könnt. So steht nun fest, umgürtet an euren Lenden mit Wahrheit und angetan mit dem Panzer der Gerechtigkeit und an den Beinen gestiefelt, bereit einzutreten für das Evangelium des Friedens. Vor allem aber ergreift den Schild des Glaubens, mit dem ihr auslöschen könnt alle feurigen Pfeile des Bösen, und nehmt den Helm des Heils und das Schwert des Geistes, welches ist das Wort Gottes. Betet alle Zeit mit Bitten und Flehen im Geist und wacht dazu mit aller Beharrlichkeit im Gebet für alle Heiligen«* (Epheser 6, 11-18).

Für Paulus steht fest, daß um uns her eine gigantische Auseinandersetzung tobt, Kämpfe zwischen den Engeln Gottes und den Dämonen des Satans, des abtrünnigen Engels. Und bei diesen

Kämpfen geht es um Sie und mich, um das Heil jedes einzelnen. Doch weil es Gott in der Bibel verspricht, bin ich davon überzeugt, daß seine Engel über meinem Leben wachen, daß sie mir Wege ebnen und Türen öffnen und mich bewahren, bis meine irdisch bemessene Zeit erfüllt ist.

Selbstverständlich ist mir schon vor Jahren, als ich die ersten Erlebnisse mit Engeln hörte und las, eine Frage gekommen, die sich mit Sicherheit die Mehrzahl der Leser auch stellt. Und das ist die altbekannte und immer wiederkehrende Frage: Warum?

Warum bewahrte Gott in alttestamentlicher Zeit vielfach sein auserwähltes Volk auf spektakuläre Weise – auch durch Engel –, verhinderte aber nicht, daß viele Millionen Juden in den Gaskammern der Nationalsozialisten fabrikmäßig ermordet wurden? Warum kehrte gerade der so dringend benötigte Familienvater nicht als Soldat aus dem Krieg zurück? Warum haben die guten Mächte Dietrich Bonhoeffer und andere Christen des Widerstands gegen Hitler nicht bewahrt, wie Petrus, als sie vor ihrer Hinrichtung standen? Warum bewahrte Gott durch seine Engel in vergleichsweise harmlosen Situationen Menschen, ließ aber zu, daß bei Unglücken ganze Familien getötet wurden?

Wo waren die Engel, als Martin Luther King ermordet wurde oder Itzhak Rabin? Dem Gott des Friedens hätte doch daran gelegen sein müssen, den Mitinitiator des Friedensprozesses im Nahen Osten am Leben zu erhalten.

Wo waren die Engel, als in Deutschland Asylbewerberheime brannten? Weshalb griff Gott nicht helfend ein, bevor in einer Kirchengemeinde innerhalb kurzer Zeit drei der tragenden ehrenamtlichen Mitarbeiter an Krankheiten starben? Oder lassen Sie es mich ganz persönlich sagen: Warum mußte mein Vater im vergangenen Herbst mit neunundfünfzig Jahren sterben, ein Mensch, der versuchte, anderen mit Rat und Tat zur Seite zu stehen, wann immer es möglich war, und der durch die lebensbezogene schlichte Art, wie er sein Christsein lebte, manchen zum Nachdenken über Gott brachte.

In seltenen Fällen wird die Zeit, also das Diesseits, auf solche Fragen eine Antworten geben – ganz sicher aber die Ewigkeit.

Ich möchte dennoch einen Erklärungsversuch wagen. In meiner Kindheit pflegte meine Urgroßmutter Julie mittags, zwischen Nachtisch und Dankgebet, regelmäßig ein christliches Kalenderblättchen vorzulesen. Und ich erinnere mich noch genau an eine Geschichte, die damals bereits um die fünfzehn Jahre her war. Anfang 1956 waren fünf junge amerikanische Missionare in Ecuador von Angehörigen der Waorani-Indianer getötet worden. Sie hatten zuerst vergeblich versucht, mit ihnen Kontakt aufzunehmen. Völlig unerwartet war es dann doch dazu gekommen. Der erste Kontakt verlief freundlich, der zweite tödlich. Alle fünf wurden ermordet.

Die Ursache und die näheren Umstände, die zu diesem Verbrechen führten, kamen erst 1989, also 33 Jahre später ans Licht. Wiederum zeitverzögert, im Januar 1996, erschien in idea - Spektrum (Nr.5/31.Januar 1996) dazu folgender Bericht, den ich auszugsweise wiedergeben möchte:

Olive Liefeld, die Witwe eines der fünf Missionare ging 1989 zum ersten Mal zu den Waoranis zurück. Sie wußte, daß Elizabeth Elliot, Witwe des ebenfalls getöteten Jim Elliot, mit Rachel Saint, Schwester des ermordeten Nate Saint, jahrelang eine sehr fruchtbare Arbeit unter den Waoranis getan hatte. Angeblich lebten die fünf Täter noch und waren alle zum Glauben an Jesus Christus gekommen.

Im Januar 1989 konnte Frau Liefeld durch die Vermittlung von Rachel Saint einen der Täter, Kimo, und seine Frau Dawa kennenlernen. Die beiden Eingeborenen brachten die Amerikanerin zum Tatort.

Olive Liefeld erinnert sich: »In den Monaten vor der Ermordung flogen die Missionare in großen Kreisen über das Indianerdorf und ließen Geschenke in einem Eimer herunter. Der Tag, an dem die Indianer Affenfleisch, Borkkleidung, Papageien usw. zurückschickten, wurde gefeiert. Unsere Männer planten, wann sie den ersten Besuch bei den Indianern machen würden.«

An diesem langersehnten Tag landeten sie mit einem Flugzeug am Fluß Curaray. Drei Waorani-Männer kamen aus dem Dschungel, um die Missionare zu begrüßen.

Erst als Kimo Frau Liefeld diese Geschichte erzählte, wurde klar, was die Männer damals zum Mord getrieben hatte. Frau Liefeld: »Dawa sagte, daß einer der Männer ein Foto eines Indianers aus seiner Tasche nahm. Die Aucas trugen keine Kleidung und kannten deswegen keine Taschen, Kameras oder Fotos. Deswegen waren sie zu dem Schluß gekommen, daß diese Fremden Menschenfresser waren, denn sie meinten, einer von ihnen griff eine kleine Indianerin (das Foto) ,aus dem eigenen Leib'.

Mit Angst bereiteten sich die Indianer auf ihre nächste Begegnung mit den nichtsahnenden Missionaren vor. Deshalb griffen fünf Waoranis die jungen Amerikaner am Ufer an, nachdem sie wieder gelandet waren. Dawa und einige andere beobachteten alles aus sicherer Entfernung. »Dawa erzählte, wie unsere Männer absichtlich über die Köpfe der attackierenden Waoranis geschossen haben«, berichtet Frau Liefeld weiter, »und ein Schuß hat sie sogar ins Knie getroffen. Sie wußte, daß diese Fremden Kimo und die anderen Waoranis hätten erschießen können, aber es offensichtlich bewußt nicht wollten.« Innerhalb weniger Minuten wurden alle fünf Missionare von den Indianern umgebracht.

In den folgenden Jahren haben Leute wie Elizabeth Elliot und Rachel Saint den Waorani vermittelt, daß die fünf Männer im Frieden gekommen waren, um ihnen das Evangelium von Jesus Christus zu sagen. Gikita, der Führer des Angriffs, war besonders betroffen von der Nachricht, daß zwei der Amerikaner ehemalige Soldaten waren, aber jetzt lieber ihr eigenes Blut vergossen, als die Indianer zu erschießen. Gikita wurde kurz darauf Christ und nach ihm mehrere Waorani-Männer mit ihren Familien.

Der Entschluß der Amerikaner, keine Waoranis zu erschießen, war mehr als ein Zeichen des Friedens. Letzten Endes war es ihr Tod, der einen Kreislauf von Rache, Gewalt und Mord zwischen den Stämmen beendete, denn als die Waoranis Christen wurden, folgte aus ihrer Initiative Friede mit den Stämmen, mit denen sie seit Generationen gekämpft hatten.

Der missionarische Dienst unter den Waoranis wird fortgesetzt durch Leute wie Steve Saint (Sohn von Nate Saint), der mit seiner Familie im Dschungel Ecuadors lebt. Einige Gemeinden sind gegründet worden, und die Waoranis haben es sich zur Aufgabe gemacht, ihr eigenes Volk und andere Stämme um sie herum mit der christlichen Botschaft zu erreichen.

Daß die Missionsarbeit unter den Waoranis Erfolg hatte, ist nicht zuletzt auf ein zusätzliches, rätselhaftes Ereignis zurückzuführen, das unmittelbar nach dem Mord passierte. Olive Liefeld wurde weiter von den Indianern berichtet:

Die Leichen am Ufer vor ihren Augen, hörten Dawa im Wald und Kimo am Strand ein seltsames Singen. Beide bezeugten, eine Schar Menschen über den Baumspitzen gesehen zu haben, die sangen und »strahlten wie hundert Taschenlampen«. Die Dolmetscherin erklärte: »Das ist ihr einziger Begriff für ein helles Licht. Sie sagten, die Lichter waren hell und flimmernd, und dann waren sie plötzlich verschwunden.«

Frau Liefeld fragte skeptisch, ob damit Engel gemeint wären. Kimo, der sich inzwischen in der Bibel auskannte, erklärte: »Die Jünger im Boot hatten Angst, als Jesus auf dem Wasser auf sie zulief. Sie meinten, er sei ein Gespenst. Genau wie die Jünger damals waren wir durch das Singen und die Lichter verängstigt. Erst als die Jünger Jesus erkannten, waren sie beruhigt. Später, als wir Gottes Wort hörten, hatten wir auch keine Angst mehr.

Den Aussagen der Beteiligen zufolge bin ich überzeugt davon, daß die Engel Gottes anwesend waren und jederzeit das Leben der fünf Missionare hätten retten können. Der Versuch meiner Antwort heißt: Gott hat ihren Tod und die so entstandene Trauer in Kauf genommen, um daraus in anderer Weise etwas Gutes erwachsen zu lassen, was die Hinterbliebenen und die Freunde der Ermordeten damals noch nicht im Blick haben konnten.

Warum Gottes Engel manche Menschen vor schlimmen Katastrophen bewahren, warum sie bei anderen solche Katastrophen mit allen leidvollen Konsequenzen zulassen, ist also Gottes Geheimnis, somit aber Bestandteil eines vollkommenen Plans. Kein billiger Erklärungsversuch, kein Fatalismus, sondern meine tiefe Überzeugung und mein Trost. Fest steht: Die Liebe Gottes macht keine Unterschiede, auch wenn sie sich nach unserem

Verständnis unterschiedlich offenbart. Außerdem bin ich mir sicher, daß Gott auch einen Menschen, der viel erleiden mußte, der früh oder auf tragische Weise gestorben ist, zuvor bereits vielfach beschützt hat, ohne daß dabei der Schleier zur unsichtbaren Welt einen Spaltbreit geöffnet wurde.

Persönlich habe ich, wie schon gesagt, nie sichtbar wahrgenommen, daß mir Gottes Engel geholfen haben. Das ist auch für ein Leben als Christ nicht ausschlaggebend oder entscheidend. Gott liebt den, den er etwas mit Engeln erleben ließ, nicht mehr, als den, der so etwas nie bewußt erlebt hat. Für alle, die sich auf Gottes Liebe verlassen, gilt: »Er hat seinen Engeln befohlen, daß sie dich behüten auf allen deinen Wegen.« Das soll Christen trösten, das soll Kraft geben und Mut machen. Das soll Freude schaffen und dazu führen, daß Menschen wie die Engel Gott loben.

Ein »Nachwort«

Liebe Leserin, lieber Leser,

Sie haben in diesem Buch viel Geschriebenes und Erlebtes gelesen – und dennoch stimmt das, was Martin Luther schon vor fast einem halben Jahrtausend predigte: »Viele Gelehrte haben es unternommen, über die Engel zu sprechen, und wollten die Welt klug machen, daß sie wüßten, was ein Engel ist. Wenn du alles wüßtest, was sie geschrieben haben, so wüßtest du nichts.«

Mit anderen Worten: Gott ist immer noch größer, umfassender, vielseitiger und phantasievoller, als er es uns Menschen in winzigen Ausschnitten der jenseitigen Welt vermittelt. Doch schon diese kleinen Lichtblicke können einen riesigen positiven Effekt haben, indem sie das Leben nachhaltig prägen.

Sollten Sie, lieber Leser, ebenfalls von einem Erlebnis mit Engeln beeindruckt worden sein, möchten wir Sie ermutigen, uns dies zu schreiben. Möglicherweise könnten wir uns zu einer Fortsetzung dieses Buches entschließen.

Herzlichst
Ihr

Klaus Krämer